Contenidos

To Teachers and Parents 2

Reading Comprehension Skills and Strategies 4

Beginner

1 **Nos conocemos** • *Descubre Bolivia*
La niña y el perro *de María Á. Pérez* 7

2 **¿Cómo vivimos?** • *Descubre España*
El niño de la Alhambra *de María Á. Pérez* 13

3 **Vamos a aprender** • *Descubre El Salvador*
La escuela en El Salvador
de María Á. Pérez 19

4 **Los animales** • *Descubre Puerto Rico*
El plan del coquí *de María Á. Pérez* 25

5 **Nos cuidamos** • *Descubre Guatemala*
La comida de Guatemala *de María Á. Pérez* 31

6 **Nuestro ambiente** • *Descubre Uruguay*
La idea de Laura *de María Á. Pérez* 37

7 **¿Cómo funciona?** • *Descubre México*
La misteriosa escritura maya
de María Á. Pérez 43

8 **Nuestras celebraciones** • *Descubre Ecuador*
El Inti Raymi: La Fiesta del Sol
de María Á. Pérez 49

Contenidos

Intermediate

① **Nos conocemos** • *Descubre Bolivia*

Reunión de mascotas *de Omar Nicosia* 55

② **¿Cómo vivimos?** • *Descubre España*

La batalla *Cuento folclórico español* 63

③ **Vamos a aprender** • *Descubre El Salvador*

Las fiestas y celebraciones de El Salvador *de María Á. Pérez* 71

④ **Los animales** • *Descubre Puerto Rico*

Real Rana Saltadora *de Jessenia Pagán Marrero* 79

⑤ **Nos cuidamos** • *Descubre Guatemala*

Los juegos de pelota de los aztecas, los mayas y los taínos *de María A. Pérez* 87

⑥ **Nuestro ambiente** • *Descubre Uruguay*

Supersapo *de Roy Berocay* 95

⑦ **¿Cómo funciona?** • *Descubre México*

Los Tres Grandes *de María Á. Pérez* 103

⑧ **Nuestras celebraciones** • *Descubre Ecuador*

El mercado y las fiestas de Otavalo *de María Á. Pérez* 111

Edición Anotada

Published in the United States of America.

Descubre el español con Santillana
Antología 5 Edición Anotada
ISBN-13: 9781616056469
ISBN-10: 1616056460

Editorial and Production Staff
Editorial Director: Mario Castro
Executive Editor: Pedro Urbina
Senior Editor: Patricia E. Acosta
Editorial Research and Developmental Editing: Gabriela Prati
Contributing Developmental Editors: Lourdes M. Cobiella, Andrea Sánchez
Contributing copyeditor and proofreader: Claudia Baca
Design and Production Manager: Mónica Candelas
Design and Layout: M. Patricia Reyes
Image and Photo Research Editor: Mónica Delgado de Patrucco
Cover Design and Layout: Studio Montage

Santillana USA Publishing Company, Inc.
2023 NW 84th Avenue, Doral, FL 33122
www.santillanausa.com

www.descubreelespanol.com

Printed in Colombia by D'vinni S.A.

16 15 14 13 12 11 1 2 3 4 5 6 7 8 9 10

Acknowledgments
Text: p. 54 ,"Reunión de mascotas" by Omar Nicosia, *Lenguaje 2*, Santillana S.A., La Paz; p. 78, "Real Rana Saltadora" by Jessenia Pagán Marrero, *Español 5 Yabisí*, Ediciones Santillana, Inc., Puero Rico; p. 94, "Supersapo" from "Las aventuras del sapo Ruperto", by Roy Berocay, *Lengua castellana 3*, Santillana Educación, S. L., Madrid; p. 118, "Vida y sueño" by Arturo Rico, *Nuevo Multitexto 5*, Santillana S. A., La Paz; p. 126, "Un cuento con mucho viento" by Carlos R. Gesualdi, Lecturas amigas 3, Santillana Educación, S.L., Madrid; p. 142, "Agapito, el coquí trovador" by Jessenia Pagán Marrero, *Español 5 Yabisí*, Ediciones Santillana, Inc., Puero Rico; p. 158, "Babú" by Roy Berocay, *Babú* by Roy Berocay, Alfaguara, Lima

Photos: p.18: © Alyx Kellington / Age Fotostock; p. 20: Santillana El Salvador, © Alberto Lowe / Reuters; pp. 30-32: Age Fotostock; p. 42: Irafael; p. 48: Edwin Ramírez; p. 40: Sandra Salvador / Age Fotostock; p. 50: © Bruce Yuan-Yue Bi / Age Fotostock, Sandra Salvador / Age Fotostock; pp. 70-73: © Norbert Scheidler; p.75: © Age Fotostock; © Reuters; p. 86: © The Print Collector / Age Fotostock; p. 90: © Michele Falzone / Age Fotostock; p. 102: © PSHAW-PHOTO / Shutterstock; p. 103: Courtesy: CSU Archive / Age Fotostock; p. 104: © Jim West / Age Fotostock; p. 105: © Bill Perry, © Richard Maschmeyer / Age Fotostock; p. 106: Alejandro Linares García; pp. 110-111: © AWL Images / Masterfile; p. 112: © Jean-Pierre Degas /Age Fotostock, © AWL Images / Masterfile; p. 113: Yadid Levy / Age Fotostock, © Archivo Santillana; p. 114: © Jorge Pinzón Cadena; p. 135: © Stefano Paterna / Age Fotostock; p. 136: Osvaldo Sánchez, © Age Fotostock; p. 137: © Reuters, © Stefano Paterna / Age Fotostock; p. 138: © Torino / Age Fotostock; pp. 151-153: © Reuters; p. 166: © Raga José Fuste / Age Fotostock; p. 167: © Guillermo Montesinos / Age Fotostock; p. 168: © Andrew Winning / Reuters; p. 169: © Age Fotostock; p. 170: © DEA PICTURE LIBRARY / Age Fotostock; p. 174: © Bjorn Svensson / Age Fotostock; p. 176: © Reuters; p. 177: © Pablo Corral Vega/ Age Fotostock, © Frans Lemmens / Age Fotostock; p. 178: © Florian Kopp / Age Fotostock.

Illustrations: Beginner Level: Walter Torres; Intermediate Level: Gastón Hauviller; Advanced Level: Emiliano López Ordás

Advanced

① Nos conocemos • *Descubre Bolivia*

Vida y sueño *de Arturo Rico* 119

② ¿Cómo vivimos? • *Descubre España*

Un cuento con mucho viento
de Carlos R. Gesualdi 127

③ Vamos a aprender • *Descubre El Salvador*

El Salvador, tierra de volcanes
de María Á. Pérez 135

④ Los animales • *Descubre Puerto Rico*

Agapito, el coquí trovador
de Jessenia Pagán Marrero 143

⑤ Nos cuidamos • *Descubre Guatemala*

Los alimentos del continente americano
de María Á. Pérez 151

⑥ Nuestro ambiente • *Descubre Uruguay*

Babú *de Roy Berocay* 159

⑦ ¿Cómo funciona? • *Descubre México*

La ciudad debajo de la Ciudad de México
de María Á. Pérez 167

⑧ Nuestras celebraciones • *Descubre Ecuador*

Los instrumentos de la música andina de Ecuador *de María Á. Pérez* 175

Glosario 182

To Teachers and Parents

Descubre el español con Santillana is a comprehensive program designed to teach Spanish as a world language in elementary school classrooms. Created with teacher flexibility in mind, the program can be used in a FLES setting, or it can be used to support FLEX or Dual-Language instruction.

The **Antologías** are an integral part of the *Descubre el español con Santillana* program. They are a collection of authentic grade-appropriate literature, thematically correlated to each unit of the student book. There is one **Antología** per grade, for grades 1 to 5.

Each unit in the **Antología** includes three readings from different genres to accommodate the needs of students of Spanish, as well as heritage speakers, who generally have a stronger command of vocabulary than beginning FLES students. The readings are divided into three categories: **Beginner**, **Intermediate**, and **Advanced**.

Each reading includes appropriate pre- and post-reading activities designed to help support the literacy skills taught in *Descubre el español con Santillana*, including accessing prior knowledge, vocabulary, phonics, reading fluency, reading comprehension, spelling, and writing.

The **Antologías** are ideal for supporting reading in the classroom, whether as shared, guided, or independent reading. The **Antologías** are also flexible enough to use at home by parents as a stand-alone reading companion. The **Annotated Edition** contains point-of-use teaching suggestions and answer keys. The **Antologías Audio CD** contains lively recordings of the reading selections as well as the **Comprendo lo que leí** activities.

How to Use the *Antología*

Antes de leer

This section is comprised of guided questions that help connect students to prior knowledge they may have about the subject or theme. The **Annotated Edition** includes teacher/parent prompts to further enhance the guided questions. These prompts can be used in conjunction with pre-reading strategies—such as previewing, KWL charts, and brainstorming—to help prepare students for the reading selection.

A number of vocabulary words are highlighted in each selection. These words can be introduced to students before they start reading to ensure a better understanding of the selection. A glossary of the highlighted vocabulary can be found at the end of the book.

For information on how to purchase the Annotated Edition and the Audio CD, visit: www.descubreelespanol.com

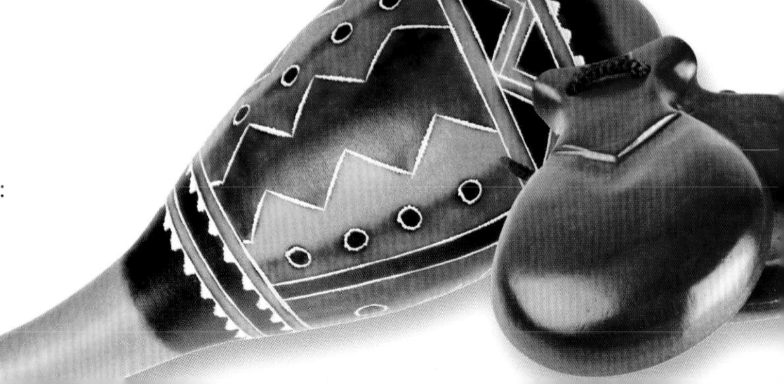

Lectura

The literature selections in the **Antologías** are authentic pieces that cover a variety of themes and genres culturally relevant to the country that is studied in each unit. They include informational and expository texts, biographies, poetry, and fiction.

The use of appropriate reading strategies is essential for the development of reading skills. Reading strategies are designed to help students better understand the reading selections before, during, and after they read. Some useful strategies, for example, are Echo Reading, Retelling, and Summarizing. "Echo Reading" is an easy-to-use strategy that helps students learn fluency, expression, and reading at an appropriate rate. "Retelling" helps students to tell the story using their own words, and "Summarizing" helps them to identify the main ideas of the story. A detailed list of reading comprehension skills and strategies can be found on pages 4–5.

Comprendo lo que leí

This one-page section has a series of comprehension questions designed to measure how well students understand the selection. In addition, each series has one critical thinking question to help students to reflect on the selection and engage in independent, higher-order thinking skills. The use of reading comprehension skills and strategies is recommended to help students to better understand the selection before answering the comprehension questions. The **Annotated Edition** comes with an answer key for this section.

Así se dice

This one-page section focuses on phonics, words with variable spelling forms (**ortografía dudosa**), and vocabulary development. Helpful grammar definitions are provided followed by activities. The phonics activities help students to understand the relationship between letters and sounds. The variable spelling activities give students an opportunity to practice sounds that are similar or identical in Spanish but have different spelling forms and meaning, such as **casa**, **caza**. The vocabulary development activities help students to understand new vocabulary and use it when reading and writing. The **Annotated Edition** comes with an answer key for this section.

Así se escribe

The focus of this section is grammar and spelling. Helpful grammar definitions are provided followed by activities. These activities help students to understand the function and application of grammatical and spelling conventions in appropriate grade-level contexts. The **Annotated Edition** comes with an answer key for this section.

A escribir

The writing activity encourages students to think, evaluate, and write about the selection they just read. It can focus on the selection, a part of the selection, or expand upon the selection. The activity also gives students an opportunity to practice using the grammar and spelling functions they have just learned in that unit. The **Annotated Edition** includes teacher/parent prompts to further enhance the writing experience. All activities in the **Antología** must be written on a separate notebook or sheet of paper.

Reading Comprehension Skills and Strategies

Author's Point of View

All stories have a narrator. Sometimes, the narrator is an outside observer and tells the story in the third-person, using pronouns, such as **él**, **ella**, **se**, **ellos**, and **ellas**. Sometimes, the narrator is also a character in the story and uses pronouns such as **yo**, **mi**, **me**, and **mío**. When the narrator is an outside observer, the author is using the third-person point of view to tell the story. When the narrator is a character, the author is using the first-person point of view to tell the story. Guide students to identify pronouns in the selection that show the author's point of view.

Author's Purpose

Authors write stories for a reason. This reason is called **author's purpose**. The four main reasons for writing a story are: 1) to **inform**, or tell about something; 2) to **explain**, or describe what something is like or how something works; 3) to **entertain**, or make the reading enjoyable or funny; and 4) to **persuade**, or convince the reader to do something or to think the way the author does. Sometimes, authors have more than one purpose for writing a story. Ask students to identify the author's main purpose for writing the selection. Help them to find and name the details that the author uses to accomplish the purpose.

Cause and Effect

A **cause** is why something happens. An **effect** is what happens as a result of that cause. Sometimes, words and phrases such as **porque**, **por eso**, **desde entonces**, **por lo tanto**, and others, give clues to indicate cause and effect relationships in a story. However, a story may not include these words and still have cause and effect relationships. Encourage students to find any signal words that may be present in the story and help them to identify cause and effect relationships in the selection.

Comparing and Contrasting

When we tell how two or more things, events, or characters are alike, we are **comparing**. When we tell how two or more things, events, or characters are different, we are **contrasting**. Comparing and contrasting helps us to understand how people, events, or things are alike or different in a story. Have students look through the selection and help them to identify instances in which the author compares and contrasts events, characters, or things.

Drawing Conclusions

We **draw conclusions** when we take information about a character or event in a story and then make a statement, or conclusion, about that character or event based on that information. Have students look through the paragraphs they are reading and model how to draw conclusions about the characters and/or events.

Echo Reading

This reading strategy is ideal for modeling correct pronunciation and intonation of text. Start reading the selection and ask students to repeat after you. Start with words and phrases, and gradually increase to sentences. Be sure to read with emotion and in a lively manner. Avoid correcting students who mispronounce. Instead, encourage them to continue reading, following your lead, as you gradually release more responsibility to them.

Fantasy and Reality

Fantasy is something that could not happen in real life. **Reality** is everything that is real or authentic. A fantasy may be a story that includes make-believe characters such as talking animals, while a realistic story may tell about something that could happen in real life. Help students identify stories they may know that are fantasies and stories they may know that are realistic. Ask students if the selection they are reading is realistic or if it is a fantasy. Have them identify details or examples from the selection that are make-believe or realistic.

Main Idea and Details

The **main idea** is the most important point the author makes in a story or paragraph. In a paragraph, the main idea is often contained in a topic sentence at the beginning or at the end of the paragraph. In order to support the main idea, authors use **details** in other sentences that may describe, give reasons and definitions, and give other types of information. Help students to identify the main idea and details of some of the paragraphs in the selection.

Making Inferences

We make **inferences** when we use clues from the reading and what we already know to figure out something that is not directly stated or explained in the reading. Have students make inferences about the characters or events in the selection.

Retelling

Retelling is when a reader tells the story in her or his own words. Retelling provides the reader with the opportunity to process what she/he has read by organizing and explaining it to others. Retelling can be used for a paragraph, section, or for the entire selection. Have students retell the selection by helping them to organize the events of the selection.

Sequence

Sequence is the order of events in a story. Understanding in which order events take place in a story is essential to forming ideas and opinions about a story. Words and phrases such as **primero**, **después**, **luego**, **finalmente**, **al día siguiente**, **mañana**, and so on, often signal order of events and time in a story. Help students to identify order of events in the selection by having them identify time and order words or phrases.

Summarizing

When we determine the most important events or ideas in a text, we are **summarizing**. Summarizing helps us to learn how to determine essential ideas and consolidate important details that support them. Summarizing can be used with paragraphs, sections, or for the entire selection. Help students to summarize the selection by asking them to identify the most important events or ideas of the selection.

Discuss with students children and families that you know in your neighborhood. Then ask the following questions.

Antes de leer

¿Cómo son las familias en tu comunidad?
What are families like in your community?
¿Cómo es la familia de tu mejor amigo o amiga?
What is your best friend's family like?
¿Cuántos son?
How many are there?

Have students read the selection. In order to help with comprehension, you may want to use reading strategies, such as echo reading, retell and summarize, and so on. Point out that the highlighted words are defined in the end glossary. Help students with unfamiliar words and structures, and guide them to decode verbs and verb tenses, as necessary.

Personajes

ÓSCAR, niño de 11 años
TOBI, perro
INÉS, vecina de Óscar
ELENA, madre de Óscar
ANDRÉS, padre de Óscar
TOMÁS, abuelo de Inés
ÚRSULA, hermana de Inés

1 *Óscar está en el patio de su casa. En el patio también hay un perro. Óscar no conoce al perro.*

ÓSCAR: ¡Hola, perrito! ¿Cómo te llamas?

INÉS: (*Desde el patio de la casa vecina.*) Se llama Tobi.

ÓSCAR: ¿Tobi? Me gusta Tobi. ¿Y tú cómo te llamas?

5 INÉS: Me llamo Inés. Vamos, Tobi. (*Entra en su casa, y el perro también entra.*)

ÓSCAR (*Asombrado.*): Pero, ¿qué...?

Ahora, los padres de Óscar también están en el patio.

ELENA: ¿Con quién hablas, hijo?

10 ÓSCAR: Un perro... No, una niña... Hablo con la niña de la casa vecina. Ella tiene un perro.

ELENA: ¿Una niña y un perro? ¿Son vecinos nuevos?

ANDRÉS: Vamos a saludar.

15 *Óscar y sus padres están en la casa vecina. Un señor mayor sale a saludar.*

ELENA: Buenas tardes. Soy Elena. Él es mi esposo, Andrés. Y él es nuestro hijo, Óscar. Nosotros somos sus vecinos.

TOMÁS: ¡Mucho gusto! Yo soy Tomás.

ANDRÉS: ¡Encantado! ¿Tiene usted familia?

20 TOMÁS: No, yo no tengo familia.

ÓSCAR: ¿No tiene una niña y un perro? La niña se llama Inés y el perro, Tobi.

TOMÁS: No, no. Yo no tengo familia. Bueno, adiós. (*Entra en su casa.*)

Los padres miran a Óscar.

25 ANDRÉS: Óscar, no eres cómico. Aquí no hay ni una niña ni un perro.

ÓSCAR: Papá, no es una broma. Es una niña alta y seria. Tiene el pelo castaño. El perro es pequeño y simpático.

ELENA: Bueno, vamos a casa.

30 *Ahora, Óscar y sus padres están otra vez en su casa. El perro está otra vez en el patio y juega con una niña.*

ÓSCAR: (*A sus padres.*) ¡El perrito!

ÚRSULA: ¡Hola! ¿Cómo están?

ÓSCAR: Pero... ¿quién eres tú?

35 ÚRSULA: Me llamo Úrsula. Soy la hermana menor de Inés.

ÓSCAR: ¿Dónde está tu familia?

ÚRSULA: (*Señala la casa vecina.*) En esa casa. Somos vecinos.

ELENA: Pero un señor, don Tomás, está en esa casa y dice que no tiene familia.

40 ÚRSULA: Ah, sí, es mi abuelo. Es muy mayor y tiene problemas de memoria. Hay días en que no recuerda nada. Somos cinco personas en casa: mis padres, mi abuelo, Inés y yo.

ANDRÉS: ¡Bienvenidos a la comunidad!

Comprendo lo que leí

Discuss the selection with students. Then have them complete the activities on a separate sheet of paper.

1. ¿Cómo se llama el perro que está en el patio?

   (a.) Tobi
   b. Elena
   c. Úrsula

2. ¿Quién es don Tomás?

   a. el papá de Andrés y Elena
   b. el abuelo de Óscar y Tobi
   (c.) el abuelo de Inés y Úrsula

3. ¿Qué le pasa a don Tomás?

   a. No le gusta saludar a la familia.
   (b.) No recuerda a su familia.
   c. No recuerda a su perro Tobi.

4. Inés y Óscar son...

   (a.) vecinos.
   b. primos.
   c. hermanos.

5. ¿Por qué piensa Óscar que Inés no es sociable?

   a. Porque no le presenta a su familia.
   b. Porque tiene un perro serio.
   (c.) Porque no se despide de Óscar.

6. ¿Por qué crees que Inés no se despide de Óscar? Critical Thinking
   Explica. Answers will vary.

For both pages, discuss the concepts in the boxes and be sure students understand the examples. Then have them complete the activities on a separate sheet of paper. Have students read aloud the sounds as they complete these activities. Assist students as necessary. For **Así se dice**, have students read aloud the sounds as they complete the activities.

Así se dice

Las vocales son cinco: ***a, e, i, o, u.***

1. Identifica los nombres que empiezan con vocal. Ponlos en orden alfabético.

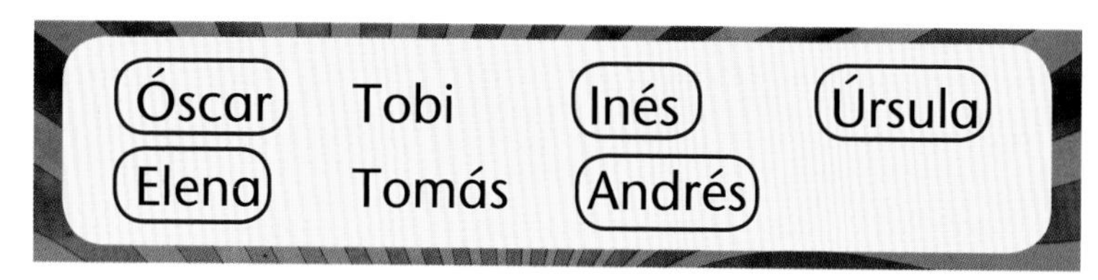

Andrés, Elena, Inés, Óscar , Úrsula

2. Escoge la respuesta correcta para cada pregunta.

a. ¿Cómo te llamas?
b. ¿Cómo está usted?
c. ¿Cómo es?
d. ¿Quién eres?

1. Es pelirroja y baja.
2. Soy Óscar.
3. Me llamo Úrsula.
4. Muy bien, gracias.

a-3; b-4; c-1; d-2

Cuando hablamos con una persona mayor o con un adulto que no conocemos, usamos **usted**.
Cuando hablamos con nuestros amigos y nuestra familia, usamos **tú**.

3. Elige *tú* o *usted* para cada uno de los personajes.

a. Don Tomás: usted
b. Inés: tú
c Óscar: tú

4. Busca la palabra que significa lo mismo en la lectura. El número dice en qué segmento está la palabra.

a. la historia comienza en este lugar de la casa (1) patio
b. las personas que viven cerca de donde vives tú (10) vecinos
c. en la de Inés son cinco personas (40) familia

5. Usa las palabras de la actividad anterior para completar las oraciones.

a. Don Tomás, Inés y Úrsula son los nuevos vecinos de Óscar.
b. Tobi está en el patio de la casa de Óscar.
c. En la familia de Óscar son tres.

Así se escribe

Cuando la oración es una pregunta o una exclamación, se usan **los signos ¿? ¡!** al principio y al final. Al final de una oración declarativa, se usa un punto.

- Pregunta: ¿Cómo bailan los niños y las niñas?
- Exclamación: ¡Dan vueltas y vueltas!
- Final de oración: Óscar saluda a Inés.

1. Busca en la lectura una pregunta, una exclamación y una oración declarativa.
   Answers will vary.

Las **letras mayúsculas** se usan al comenzar una oración, después de un punto y para escribir nombres propios.

- La señora Elena y don Tomás se saludan. Don Tomás es el abuelo de Inés.

2. Corrige las oraciones. Usa mayúsculas.
   a. don tomás es mayor. Don Tomás es mayor.
   b. el papá de óscar se llama andrés. El papá de Óscar se llama Andrés.
   c. buenas tardes. soy elena. él es mi hijo, óscar. Buenas tardes. Soy Elena. Él es mi hijo, Óscar.

El verbo **ser** se usa para hablar de una condición permanente.

- Tú **eres** mi amigo. / María y Carla **son** hermanas. / Nosotros **somos** primos.

3. Completa las oraciones con la forma correcta del verbo *ser*.

   a. Inés y Úrsula son mis vecinas.
   b. Tobi y yo somos amigos.
   c. Tú no eres Inés... ¿Quién eres ?

A escribir

Discuss with students situations of new encounters: first day of school, a birthday party, first day in a new neighborhood, first day of practice, and so on. Have them imagine two people meeting for the first time. Then have them write a paragraph on a separate sheet of paper. Remind them to use correct punctuation.

- Imagina que conoces a un nuevo amigo o amiga. ¿Cómo es? ¿Con quién vive? Escribe un párrafo. Answers will vary.

Discuss with students your visits to famous or historic places and monuments not in your community. Then ask the following questions.

Antes de leer

¿Qué edificio o monumento famoso tienes en tu comunidad? What famous building or monument do you have in your community?

¿Por qué es famoso?
Why is it famous?

¿Cómo es el edificio o monumento famoso?
What is the famous building or monument like?

Have students read the selection. In order to help with comprehension, you may want to use reading strategies, such as echo reading, retell and summarize, and so on. Point out that the highlighted words are defined in the end glossary. Help students with unfamiliar words and structures, and guide them to decode verbs and verb tenses, as necessary.

1 Alex mira a las personas a su alrededor. "¿Por qué hay tantas personas aquí?", piensa. "No estamos en un parque de diversiones. No estamos en una feria. Ni siquiera estamos en la playa. Aquí sólo hay montañas, un parque y palacios antiguos".

—No me gusta este lugar. Quiero ir al cine o a la playa —dice Alex a sus padres.

—Ya estamos aquí, Alex. La Alhambra es muy bonita —dice el papá.

2 La familia entra y va a los jardines. Hay muchas cosas antiguas. También hay fuentes y flores.

—No quiero estar aquí. Quiero ir al cine —dice Alex muy serio.

—¡Por favor, Alex! —contesta su mamá muy seria.

3 Salen de los jardines y entran a un edificio muy grande. El papá dice que es un palacio importante, muy antiguo. El papá y la mamá de Alex caminan hacia la izquierda. Alex se queda atrás, mirando a las personas.

—¡Alex! —dice una voz.

—¿Qué? —pregunta Alex y mira a su alrededor.

—Por aquí, a tu derecha —dice la voz.

4 Alex camina a la derecha. Enfrente de él hay un niño. Lleva un traje largo, de color rojo. Sus zapatos también son rojos. Tiene un gorro grande y amarillo. "¿Es Aladino?", piensa Alex.

—¡Hola! Soy Boabdil. Bienvenido a mi casa. Vamos a jugar. Pero tienes que quitarte tus zapatos —dice el niño.

5 Alex se quita los zapatos. Los dos niños entran en una sala grande. En la sala no hay teléfono, no hay computadora, ni cosas modernas. Solamente hay muchas alfombras de colores y un sofá azul. Por una ventana se puede ver la ciudad de Granada con personas que llevan ropa como la de Boabdil.

—¿Estás aquí solo? —pregunta Alex.

—No. Vivo con mis padres, mis hermanos y muchas personas más —dice Boabdil.

—¿Y por qué vives en este palacio?

—Porque mi papá es el rey de Granada. Ven, vamos al patio a jugar —dice Boabdil.

6 Alex y el niño caminan hasta llegar a unos leones de piedra, en el patio del palacio. El papá y la mamá de Alex están en el patio. Los padres ven a Alex, pero no ven a Boabdil.

—Ah, aquí estás, Alex —dice su mamá—. Pero, ¿dónde están tus zapatos?

—No sé... en el palacio... —dice Alex.

—Mira, hijo, este es el Patio de los Leones. ¿Te gusta? —pregunta el papá.

—Me gusta mucho. Mi amigo vive aquí. ¿Dónde estás, Boabdil?

—Yo no veo a tu amigo, Alex... —dice su mamá.

7 Alex mira a los leones de piedra y entre dos de ellos ve a Boabdil, que dice adiós con la mano.

Comprendo lo que leí

Discuss the selection with students. Then have them complete the activities on a separate sheet of paper.

1. ¿Qué es la Alhambra?

   a. Es un palacio muy moderno.
   b. Es una casa de familia.
   (c.) Es un palacio muy antiguo.

2. ¿A quién se parece Boabdil?

   (a.) Se parece a Aladino.
   b. Se parece a Alex.
   c. Se parece al palacio.

3. En la Alhambra hay…

   a. computadoras, teléfono y cosas modernas.
   (b.) jardines, cosas antiguas y un patio.
   c. leones, perros, gatos y peces.

4. ¿En qué lugar de La Alhambra están los leones de piedra?

   a. en el sofá azul
   (b.) en el patio del palacio
   c. en la sala grande

5. ¿Por qué vive Boabdil en un palacio?

   (a.) Porque su papá es el rey de Granada.
   b. Porque su papá vive en Granada.
   c. Porque su mamá tiene leones en el patio.

6. Los padres pueden ver a Alex en el patio, pero no a Boabdil. ¿Por qué crees que solamente Alex ve a Boabdil? Critical Thinking

   Answers will vary.

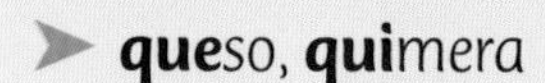

For both pages, discuss the concepts in the boxes and be sure students understand the examples. Then have them complete the activities on a separate sheet of paper. Have students read aloud the sounds as they complete these activities. Assist students as necessary. For **Así se dice,** have students read aloud the sounds as they complete the activities.

En las palabras con **que** y **qui**, la **u** no se pronuncia.

➤ **que**so, **qui**mera

1. Completa las palabras con *que* o *qui*.

   a. por que
   b. ar qui tectura
   c. qui tarte
   d. par que

Los sinónimos son palabras que tienen significados iguales o muy parecidos.

➤ casa: hogar, vivienda ➤ papá: padre

2. Escoge el sinónimo de la palabra subrayada en estas oraciones.

   a. Aquí sólo hay montañas, un parque y palacios <u>antiguos</u>.
      - nuevos
      - bonitos
      - (viejos)
   b. Alex mira a los leones de <u>roca</u>.
      - porcelana
      - (piedra)
      - papel
   c. Boabdil tiene un <u>gorro</u> grande y amarillo en su cabeza.
      - (sombrero)
      - zapatos
      - traje

3. Busca la palabra que significa lo mismo en la lectura. El número dice en qué segmento está la palabra.

   a. es un sinónimo de gente (1) personas
   b. en estos lugares hay flores y fuentes (2) jardines
   c. que no son antiguas (5) modernas

4. Usa las palabras de la actividad anterior para completar las oraciones.

   a. En el palacio no hay cosas modernas .
   b. Hay muchas personas en la Alhambra.
   c. Los jardines más bonitos tienen muchas flores.

Así se escribe

El sonido fuerte de la letra **r** se escribe con **rr** cuando está entre dos vocales.

➤ pe**rr**o, ma**rr**ón

Este sonido se escribe con **r** cuando está al comienzo de la palabra o entre una consonante y una vocal.

➤ **r**ápido, En**r**ique

1. Completa las palabras con *r* o con *rr*.

a. r ojo
b. abu rr ido
c. r edondo
d. al r ededor
e. go rr o
f. r ey

Recuerda que cuando la oración es una pregunta o exclamación, se usan los **signos ¿? ¡!** al principio y al final de la misma. Al final de una oración declarativa, se usa un punto.

2. Escribe los signos de puntuación que faltan en las oraciones.

a. ¡ Por favor, Alex!
b. ¿ Dónde están tus zapatos ?
c. Alex se quita los zapatos en silencio .
d. ¡ Hola ! Soy Boabdil.

El verbo **estar** se usa para hablar de una condición temporal.

➤ Tú **estás** en el jardín. / Los niños **están** en la sala. / Yo **estoy** en Granada.

3. Completa las oraciones con la forma correcta del verbo *estar*.

a. Los padres de Alex están en el jardín.
b. ¿Dónde estás tú?
c. Yo también estoy en la Alhambra.

A escribir

Discuss with students the description of Boabdil's clothing. Now have them imagine what Boabdil's father, the king, might wear. Then have them write a paragraph on a separate sheet of paper. Remind them to use correct punctuation.

- Imagina que conoces al rey de Granada. ¿Qué lleva? Escribe un párrafo. Answers will vary.

3 Vamos a aprender
Descubre El Salvador

Discuss with students the class weekly schedule and mention what happens after elementary school (you might want to introduce *escuela primaria*). Then ask the following questions.

Antes de leer

¿Cúantas horas a la semana tienes matemáticas? ¿Y ciencias? How many hours a week do you have math? And science?

¿Cuántos años tienes que estudiar en la escuela?
How many years do you have to study in school?

¿Qué haces durante las vacaciones escolares?
What do you do during school vacation?

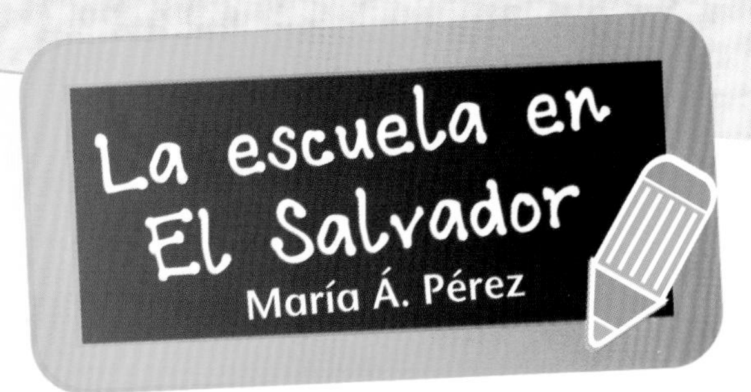

La escuela en El Salvador

María Á. Pérez

Have students read the selection. In order to help with comprehension, you may want to use reading strategies, such as echo reading, retell and summarize, and so on. Point out that the highlighted words are defined in the end glossary. Help students with unfamiliar words and structures, and guide them to decode verbs and verb tenses, as necessary.

1 Al igual que en Estados Unidos, los niños de El Salvador van a la escuela durante nueve meses al año. Pero en El Salvador los niños comienzan las clases en febrero y terminan en noviembre.

2 Las vacaciones son de noviembre a enero. También hay una semana de vacaciones durante Semana Santa, en marzo o abril; y otra semana de vacaciones "agostinas" (en agosto).

3 En El Salvador hay escuelas públicas y escuelas privadas, como en Estados Unidos. También hay escuelas privadas bilingües. En estas escuelas los alumnos tienen clases en español y en otro idioma como el inglés, el francés o el alemán. Cuando tienen dieciocho años, los alumnos de escuelas privadas hablan bien dos o más idiomas.

4 Los horarios en El Salvador dependen de la escuela y el lugar donde está la misma. Hay dos turnos: algunos alumnos van a clase por la mañana y otros van a clase por la tarde. El turno "matutino", o de la mañana, es de 7:00 a.m. a 12:00 p.m. El turno "vespertino", o de la tarde, es de 1:00 p.m. a 6:00 p.m.

5 La tabla con el horario matutino de quinto grado, en esta página, es de una escuela de San Salvador. En quinto grado los alumnos tienen cinco horas a la semana de lenguaje, matemáticas y ciencias. También tienen cuatro horas de estudios sociales, tres horas de educación física y de arte.

6 La educación en El Salvador tiene dos niveles: el nivel de educación primaria y el nivel de educación secundaria. La escuela *primaria* dura nueve años: va de primer grado hasta el noveno grado. La escuela *secundaria* dura tres años. Después, los alumnos van la universidad o a trabajar.

Horario matutino

hora	lunes	martes	miércoles	jueves	viernes
7:00 a.m.	lenguaje	lenguaje	lenguaje	lenguaje	lenguaje
8:00 a.m.	matemáticas	matemáticas	matemáticas	matemáticas	matemáticas
9:00 a.m.	ciencias	ciencias	ciencias	ciencias	ciencias
10:00 a.m.	recreo				
10:15 a.m.	educación física	arte	educación física	arte	educación física
11:00 a.m.	estudios sociales	estudios sociales	estudios sociales	estudios sociales	arte
12:00 p.m.	salida →				

Comprendo lo que leí

Discuss the selection with students. Then have them complete the activities on a separate sheet of paper.

1. ¿Qué es el turno matutino?
   a. el turno de la tarde
   b. el turno de recreo
   (c.) el turno de la mañana

2. La escuela primaria en El Salvador dura...
   a. tres años
   (b.) nueve años
   c. doce años

3. Los alumnos de quinto grado tienen cinco horas a la semana de...
   (a.) lenguaje.
   b. estudios sociales.
   c. educación física.

4. ¿De cuántos meses son las vacaciones en El Salvador?
   (a.) de tres meses
   b. de dos meses
   c. de seis meses

5. Las clases en El Salvador son de lunes a...
   a. sábado.
   (b.) viernes.
   c. domingo.

6. ¿Por qué tienen las escuelas en El Salvador un turno matutino y otro vespertino? Critical Thinking

   Answers will vary.

Así se dice

For both pages, discuss the concepts in the boxes and be sure students understand the examples. Then have them complete the activities on a separate sheet of paper. Have students read aloud the sounds as they complete these activities. Assist students as necessary. For **Así se dice**, have students read aloud the sounds as they complete the activities.

Las sílabas **ga, go, gu** se pronuncian con sonidos suaves. Las sílabas **ja, jo, ju** se pronuncian con sonidos fuertes.

- gallo, gota, gusano
- jamón, joven, jugo

1. Completa las palabras con *ga, go, gu, ja, jo,* o *ju*.

a. ju gar
b. ami go
c. ga to
d. ba ja / jo
e. hi jo / ja
f. al gu nos

Los **antónimos** son palabras que tienen significados opuestos.

- fácil / difícil
- subir / bajar
- detrás / delante

2. Escoge el antónimo correcto de estas palabras.

- alguno
  a. (ninguno) b. alguien
- matutino
  a. primaria b. (vespertino)
- igual
  a. (diferente) b. similar
- privado
  a. agostino b. (público)
- terminar
  a. (comenzar) b. acabar
- antes
  a. primero b. (después)

3. Busca la palabra que significa los mismo en la lectura. El número dice en qué párrafo está la palabra.

a. vacaciones de una semana, en agosto (2) agostinas
b. que hablan o enseñan dos idiomas (3) bilingües
c. en las escuelas hay dos: uno por la mañana y otro por la tarde (4) turnos

4. Usa las palabras de la actividad anterior para completar las oraciones.

a. En las vacaciones agostinas hace mucho calor.
b. Muchas escuelas tienen dos turnos .
c. Hay alumnos bilingües en El Salvador.

Así se escribe

1. Completa las palabras con *g* o *j*

a. lengua j e
b. g orro
c. ro j o
d. e j emplo
e. a g osto
f. lar g o

Los días de la semana, los meses del año y los idiomas se escriben con **minúscula**. **Recuerda** que los nombres propios, como los nombres de los países, ciudades y océanos, se escriben con **mayúscula**.

2. Corrige los errores en estas oraciones.

a. Los alumnos tienen Inglés los Martes. Los alumnos tienen inglés los martes.
b. Hay fiestas en san Salvador en Agosto. Hay fiestas en San Salvador en agosto.
c. En españa hablan Español. En España hablan español.

Los **verbos regulares** son los que mantienen la misma raíz en todos los tiempos.

➤ ganar: gano, gané, ganarás

Los **verbos irregulares** son los que cambian su raíz.

➤ ir: voy, fui, iré

Las formas del verbo **ir** en presente son:

yo **voy**	tú **vas**	él/ella **va**
ustedes **van**	ellos/ellas **van**	nosotros/nosotras **vamos**

3. Completa las oraciones con la forma correcta del verbo *ir*.

a. Mi familia y yo vamos a la playa.
b. Mi hermano Tim va a la universidad.
c. Los alumnos van a la clase de música.

A escribir

Discuss with students the importance of knowing two languages. Have them tell you why knowing more than two languages is even be better. Then have them write a paragraph on a separate sheet of paper. Remind them to use correct punctuation.

- ¿Por qué es importante hablar varios idiomas? Escribe un párrafo.

Answers will vary.

Discuss with students how habitat loss has converted certain animals in endangered species. Then ask the following questions.

Antes de leer

¿Qué significa "estar en peligro de extinción"?
What does "endangered species" mean?
¿Cuáles son algunos animales en peligro de extinción?
What are some endangered species?
¿Qué podemos hacer para ayudar a esos animales?
What can we do to help those animals?

Have students read the selection. In order to help with comprehension, you may want to use reading strategies, such as echo reading, retell and summarize, and so on. Point out that the highlighted words are defined in the end glossary. Help students with unfamiliar words and structures, and guide them to decode verbs and verb tenses, as necessary.

1 "¿En peligro de extinción? ¡No, no puedo permitir eso!", piensa el coquí. Entonces decide escribir un plan de acción en una hoja de un árbol. Cuando termina, enrolla la hoja cuidadosamente y va a la casa de su vecina, la cotorra.

—Coquí, coquí —llama la ranita.

—¡Qué animal tan ruidoso! —dice la cotorra.

—¿Ruidoso, yo? —dice el coquí alegremente. —Mira, lee esto.

2 La cotorra lee la hoja rápidamente y piensa que es un buen plan. Así que decide ir con el coquí. Juntos saltan por el bosque hasta que llegan a la cueva del murciélago.

—¡Hola! ¡Hola! —dice la cotorra cuando llegan a la cueva.

—¡Qué animales tan ruidosos! —responde de mal humor el murciélago.

—Lee esto —dice el coquí.

—No veo bien —responde el murciélago.

3 Entonces la cotorra lee el plan en voz alta.

—El plan es interesante —dice el murciélago cuando la cotorra termina de leer. —Ven, vamos juntos a la costa, a hablar con la tortuga marina —dice el coquí.

4 Como la costa está lejos, el murciélago y la cotorra vuelan hacia el océano. La cotorra lleva al coquí en sus patas. Por fin, llegan a la playa que está vacía.

—¿Dónde está la tortuga? —pregunta la cotorra.

—Estoy aquí. ¿Qué pasa? —responde una voz debajo de la arena.

5 La tortuga sale de la arena y camina lentamente.

—Lee esto —dice el coquí.

—El plan es serio. Vamos, tenemos que hablar con el manatí —dice la tortuga.

6 La tortuga lleva a los tres animales sobre su espalda, y nada a una isla cerca de la costa.

—Sr. Manatí, ¿está aquí? —llama la tortuga.

—¿Manatí, tí-tí-tí? —repite la cotorra.

7 Nadie contesta. Pero entonces escuchan un sonido cerca. Debajo de dos palmeras, ven al manatí, que juega al dominó con la ballena. La ballena no está feliz.

—¡Manatí, eres un tramposo! —dice la ballena.

—Lo siento, amiga, tú puedes ganar mañana —dice el simpático manatí.

8 Los animales saludan al manatí y a la ballena.

—Lee mi plan —dice el coquí al manatí.

9 El manatí lee el plan en voz alta mientras la ballena escucha. Entonces el manatí mira con interés la pequeña hoja. "Qué deliciosa", piensa el manatí, y rápidamente devora la hoja.

—¡Oh, no! ¡Mi hoja! ¡Mi plan!—grita el coquí.

—Tranquilo, amigo. Ya todos sabemos el plan —responde el manatí. —Miren allá. ¿Ven eso?

10 Los animales miran y ven muchas máquinas de construcción.

—Si los humanos construyen casas ahí, van a destruir nuestro hábitat. —dice la tortuga.

—¡Necesitamos poner el plan en acción! —dice el coquí.

11 Los animales ponen el plan en acción. El plan es... ¡invadir el hábitat de los humanos! Sólo así los humanos pueden comprender cómo se sienten los animales en peligro de extinción. Y sólo así los humanos pueden aprender a cuidar y respetar los hábitats naturales.

Comprendo lo que leí

Discuss the selection with students. Then have them complete the activities on a separate sheet of paper.

1. El coquí fue primero a la casa de su vecina, la…

   (a.) cotorra.
   b. ballena.
   c. tortuga.

2. ¿Qué piensa el murciélago sobre el plan del coquí?

   a. Piensa que es bonito.
   (b.) Piensa que es interesante.
   c. Piensa que es serio.

3. ¿Dónde están el manatí y la ballena?

   a. Están en un bosque.
   b. Están en una montaña.
   (c.) Están en una isla.

4. ¿Por qué se come el plan el manatí?

   a. Porque el plan no le gusta.
   (b.) Porque la hoja está deliciosa.
   c. Porque la hoja es pequeña.

5. Los animales en peligro de extinción van a…

   a. saludar a los humanos.
   b. despedirse de los humanos.
   (c.) invadir el hábitat de los humanos.

6. ¿Crees que va a funcionar el plan del coquí? ¿Cómo se van a sentir los humanos cuando los animales invadan su hábitat? Explica. Critical Thinking

   Answers will vary.

For both pages, discuss the concepts in the boxes and be sure students understand the examples. Then have them complete the activities on a separate sheet of paper. Assist students as necessary. For **Así se dice**, have students read aloud the sounds as they complete the activities.

Así se dice

Hay **vocales fuertes** y **débiles**. Las vocales fuertes son: **a, e, o**. Las vocales débiles son: **i, u**.

1. Encierra en un círculo las vocales fuertes. Subraya las vocales débiles.

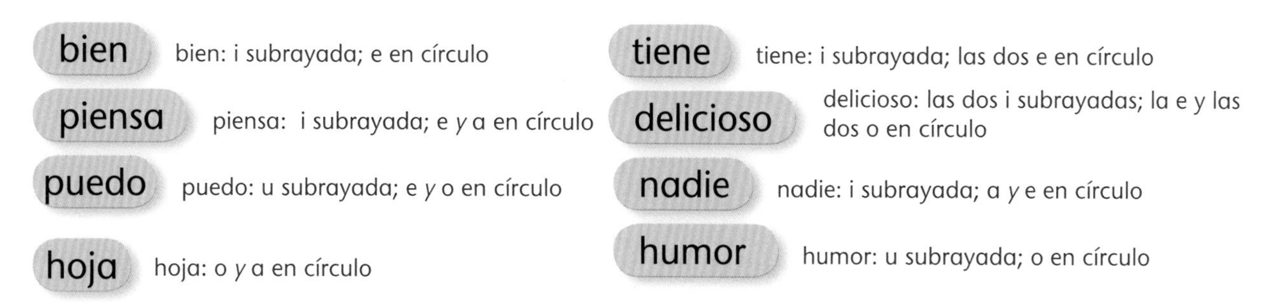

bien: i subrayada; e en círculo
piensa: i subrayada; e *y* a en círculo
puedo: u subrayada; e *y* o en círculo
hoja: o *y* a en círculo
tiene: i subrayada; las dos e en círculo
delicioso: las dos i subrayadas; la e y las dos o en círculo
nadie: i subrayada; a *y* e en círculo
humor: u subrayada; o en círculo

Cuando hay dos vocales juntas, una fuerte (**a, e, o**) y una débil (**i, u**) se forma un **diptongo**. Cuando hay dos vocales débiles (**i, u**), también se forma un **diptongo**. Los diptongos se pronuncian en una sola sílaba.

- una vocal fuerte y una débil: vieja (v**ie**-ja) aire (**ai**-re)
- dos vocales débiles: ciudad (c**iu**-dad) ruido (r**ui**-do)

2. Separa en sílabas las palabras de la actividad anterior. Identifica las sílabas con diptongo.

bien: bien
piensa: pien-sa
puedo: pue-do
hoja: ho-ja
tiene: tie-ne
delicioso: de-li-cio-so
nadie: na-die
humor: hu-mor

3. Busca la palabra que significa lo mismo en la lectura. El número dice en qué segmento está la palabra.

a. parte verde de los árboles (1) hoja
b. que hace mucho ruido (1) ruidoso
c. próximo, que no está lejos (6) cerca
d. ocupar, llenar (11) invadir

4. Usa las palabras de la actividad anterior para completar las oraciones.

a. Su plan es invadir el hábitat de los humanos.
b. El coquí y la cotorra viven cerca.
c. El coquí es muy ruidoso.
d. El coquí escribe su plan en una hoja.

Así se escribe

Las **oraciones** tienen dos partes: sujeto y predicado. El sujeto es la persona, animal u objeto del que se habla en la oración. El predicado es lo que se dice del sujeto.

1. Forma oraciones uniendo un sujeto y un predicado.

El coquí y la cotorra	están en una isla.
El manatí y la ballena	vive en una cueva.
El murciélago	saltan por el bosque.

El coquí y la cotorra saltan por el bosque. El manatí y la ballena están en una isla. El murciélago vive en una cueva.

2. Completa las oraciones con la forma correcta del verbo *querer*.

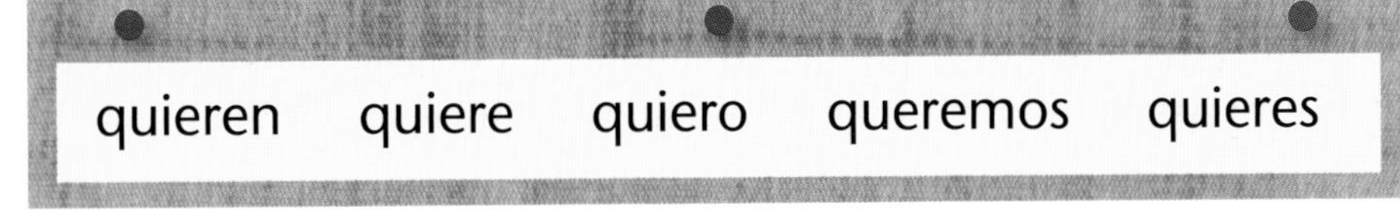

a. La cotorra quiere leer el plan del coquí.
b. Los animales quieren proteger su hábitat.
c. Yo quiero ver un manatí.
d. Nosotros queremos salvar nuestro hábitat.
e. Coquí, ¿ quieres jugar dominó con la ballena?

Los **adverbios** son palabras que modifican el significado de un verbo y dicen **de qué modo** se hace algo, **dónde** se hace, **cuándo** se hace o **cómo** pasa. Muchos adverbios terminan en **–mente**.

➤ La culebra se mueve **silenciosamente**.

3. Contesta. Usa *rápidamente, cuidadosamente* o *lentamente*.

a. ¿Cómo enrolla la hoja el coquí? cuidadosamente
b. ¿Cómo lee la hoja la cotorra? rápidamente
c. ¿Cómo camina la tortuga? lentamente

A escribir

Discuss with students action plans at school, such as what to do in case of a fire or earthquake. Ask them to reread the last paragraph of the story and to think about what the coquí's action plan said. Then have them write a paragraph on a separate sheet of paper. Remind them to use correct punctuation.

- Piensa en el plan de acción del coquí. ¿Qué crees que dice el plan de acción? Escribe un párrafo. Answers will vary.

Discuss with students the typical meals that you eat at home. Then ask the following questions.

Antes de leer

¿Qué comes en el desayuno, el almuerzo y la cena?
What do you have for breakfast, lunch, and dinner?

¿Qué alimentos llevan estas comidas? ¿Jugo, papa, carne, pan, u otra cosa?
What kind of foods are used in these meals? Is it juice, potato, meat, bread, or something else?

¿Cuál es la comida más típica de Estados Unidos?
What is the most typical food of the United States?

¿Qué ingredientes lleva?
What ingredients does it have?

Mujer maya con diferentes tipos de maíz

Vendedora de tortillas

Comprendo lo que leí

Discuss the selection with students. Then have them complete the activities on a separate sheet of paper.

1. ¿Cómo llamaron los mayas al maíz?

   a. alimento antiguo
   b. alimento de elote
   (c.) alimento sagrado

2. ¿Qué es el *Popol Vuh*?

   a. una comida de Guatemala
   (b.) el libro sagrado de los mayas
   c. una persona de maíz

3. ¿Con qué se comen los frijoles negros en Guatemala?

   a. con limonada y zanahoria
   b. con yogur, toronja y cacao
   (c.) con tortillas y arroz blanco

4. ¿Qué es el atol de elote?

   (a.) una bebida hecha de maíz
   b. una bebida hecha de frijoles
   c. una bebida hecha de chocolate

5. Los jugos de frutas tropicales son...

   (a.) comunes en Guatemala.
   b. escasos en Guatemala.
   c. cubiertos en Guatemala.

6. ¿Por qué es importante el maíz para los guatemaltecos? ¿Crees que es importante también en Estados Unidos? Explica. Critical Thinking

   Answers will vary.

Así se dice

For both pages, discuss the concepts in the boxes and be sure students understand the examples. Then have them complete the activities on a separate sheet of paper. Assist students as necessary. For **Así se dice**, have students read aloud the sounds as they complete the activities.

Los **cognados** son palabras similares en inglés y en español, tanto en la manera como se escriben como en su significado. Estas palabras ayudan a entender las lecturas.

- interesante / interesting
- celebrar / celebrate

1. Escribe los cognados de las siguientes palabras.

limón	tropicales	chile	importante
lemon	tropical	chili	important

Recuerda que los **sinónimos** son palabras que tienen significados iguales o muy parecidos.

- casa: hogar, vivienda
- gente: personas

2. Escoge el sinónimo de la palabra subrayada en las oraciones.

- Los mayas <u>cultivaban</u> muchos alimentos.
  a. (sembraban) b. compraban
- El maíz se usa desde tiempos <u>antiguos</u>.
  a. modernos b. (viejos)
- El tamal es una comida <u>típica</u>.
  a. (tradicional) b. deliciosa
- Con el <u>maíz</u> se hace el tamal.
  a. frijol b. (elote)

3. Busca la palabra que significa lo mismo en la lectura. El número dice en qué párrafo está la palabra.

a. notas con los ingredientes y forma de preparar platos de cocina (1) recetas
b. esta comida tiene carne o pollo adentro de la masa (5) tamal
c. la bebida de maíz de Guatemala (9) atol de elote

4. Usa las palabras de la actividad anterior para completar las oraciones.

a. Cuando bebo atol de elote se me quita el frío.
b. El tamal de pollo es mi favorito.
c. Mi mamá tiene muchas recetas de postres.

Así se escribe

La **letra ll** se forma con dos letras l. No tiene el sonido /l/. Tiene el sonido /y/. Además, el significado de la palabra cambia según la letra.

➤ Abre la casa con la llave.

➤ Por favor, lave la ropa.

1. Completa las palabras con *ll* o *l*.

a. mantequi ll a
b. l uego
c. co l or
d. semi ll a
e. chi l e
f. po ll o

La **terminación de los verbos** indica el tiempo: si algo ya pasó (**pasado**), si algo pasa ahora (**presente**) o si algo aún no ha pasado (**futuro**).

➤ **Pasado:** Yo com**í** un tamal.

➤ **Presente:** Yo com**o** un tamal.

➤ **Futuro:** Yo com**eré** un tamal.

2. Identifica si el verbo está en presente, pasado o futuro en las oraciones.

a. Los mayas cultivaron el árbol de cacao. pasado
b. Los guatemaltecos comen mucho maíz. presente
c. La gente en Guatemala bebe jugos. presente

3. Completa las oraciones con el verbo correcto.

bebió comimos preparé

a. Carlos bebió un jugo de naranja en el desayuno.
b. Nosotros comimos tamal guatemalteco.
c. Yo preparé pollo con verduras.

A escribir

Discuss with students their favorite food. Ask them when they eat it, how it is prepared, and what it looks like (colors). Then have them write a paragraph on a separate sheet of paper. Remind them to use correct punctuation.

- ¿Cuál es tu comida favorita? Escribe un párrafo.

Answers will vary.

Nuestro ambiente
Descubre Uruguay

Discuss with students favorite vacations and vacation spots. Then ask the following questions.

Antes de leer

¿Dónde fuiste de vacaciones el año pasado?
Where did you go on vacation last year?
¿Qué hiciste en tus vacaciones?
What did you do on your vacation?
Si no puedes ir de vacaciones, ¿qué haces? ¿A dónde vas?
If you can't go on vacation, what do you do? Where do you go?

La idea de Laura

María Á. Pérez

Have students read the selection. In order to help with comprehension, you may want to use reading strategies, such as echo reading, retell and summarize, and so on. Point out that the highlighted words are defined in the end glossary. Help students with unfamiliar words and structures, and guide them to decode verbs and verb tenses, as necessary.

1 El año pasado Laura, su hermano Ernesto y sus padres fueron de vacaciones a Punta del Este. Tomaron el sol, nadaron en el mar y jugaron en la playa. Fueron unas vacaciones muy divertidas, pero este año sus padres no hablaban de vacaciones. Una mañana, durante el desayuno, Laura preguntó:

—¿Vamos otra vez a Punta del Este?

—No sé, hija —contestó la mamá.

—No tenemos dinero para vacaciones —explicó el papá.

2 Laura y Ernesto se quedaron en silencio. Sus padres tenían un restaurante en el Mercado del Puerto, en Montevideo. Era un restaurante muy famoso por sus asados.

—Parece que los clientes quieren algo diferente y ya no vienen —respondió la mamá.

—¡No se preocupen, hijos! —dijo el papá.

3 Los padres de Laura y Ernesto no querían que sus hijos se quedaran sin vacaciones y los enviaron a casa de los abuelos. Los abuelos vivían en un pueblo de la Pampa, en el interior de Uruguay. Allí tenían una estancia con ganado.

4 A Ernesto le gustaba mucho la estancia, pero Laura extrañaba la ciudad.

—Abuela, quiero pasear por la ciudad —le dijo un día Laura a la abuela.

—Tengo una idea mejor —respondió la abuela—. Vamos a tener un asado.

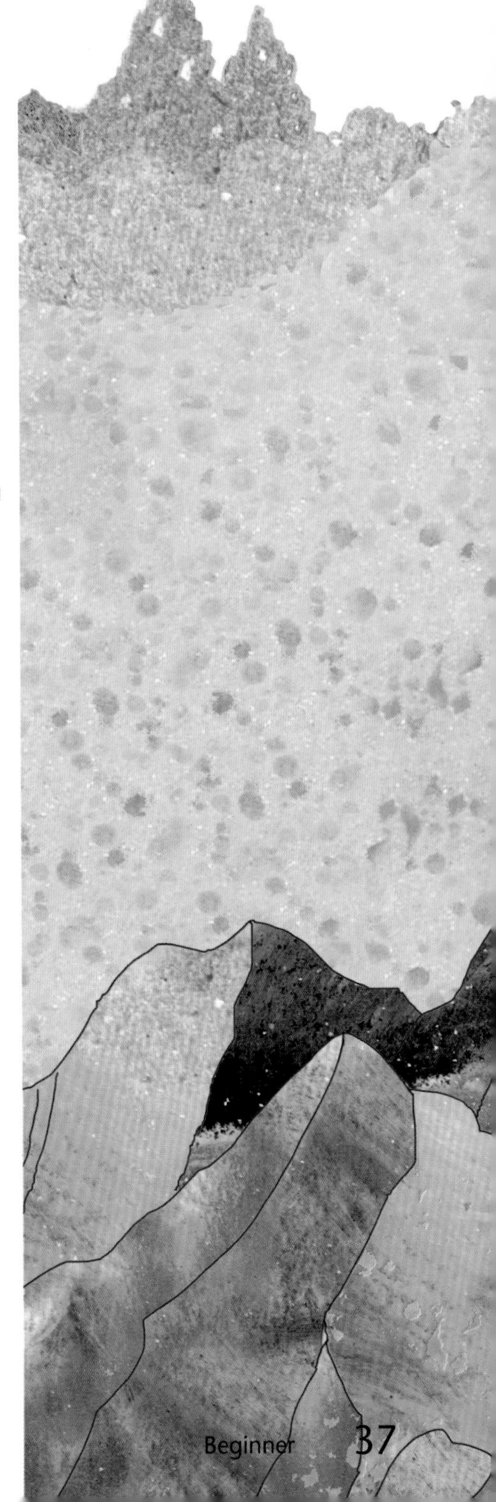

5 Laura ayudó a su abuela a hacer el "chimichurri", la salsa que acompaña el asado. Luego pusieron la mesa. Más tarde llegaron Ernesto y el abuelo con la carne para el asado. El abuelo traía también varios troncos.

—¿Qué es eso, abuelo? —preguntó Laura y señaló los troncos.

—Es leña de coronilla —contestó el abuelo.— Es muy buena para los asados porque arde durante mucho rato. Además, le da un sabor especial a la carne.

6 Laura escuchó con atención a su abuelo.

—¡Tengo una idea! —dijo Laura—. Si papá y mamá usan leña de coronilla, el asado tendrá un sabor diferente.

7 Laura y Ernesto llamaron a sus padres y les contaron su idea. ¡Es posible que el próximo año sí vayan todos de vacaciones a Punta del Este!

Comprendo lo que leí

Discuss the selection with students. Then have them complete the activities on a separate sheet of paper.

1. El restaurante de los padres de Laura y Ernesto es famoso por...
   a. sus desayunos.
   b. su salsa chimichurri.
   (c.) sus asados.

2. Este año, los padres de Laura y Ernesto no pueden...
   a. trabajar en el restaurante.
   b. ir a la estancia de los abuelos.
   (c.) ir de vacaciones.

3. Laura ayuda a su abuela a hacer una salsa llamada...
   a. jugo de naranja.
   (b.) chimichurri.
   c. leña de coronilla.

4. Los abuelos de Laura y Ernesto tienen...
   a. un restaurante.
   (b.) una estancia.
   c. un colegio.

5. ¿Qué pasa cuando se asa la carne con la leña de coronilla?
   (a.) Tiene un sabor especial.
   b. Tiene un color diferente.
   c. Tiene un olor saludable.

6. ¿Qué pasa cuando Laura explica su idea a sus padres? ¿Puede ir la familia de vacaciones ahora? Explica. Critical Thinking
   Answers will vary.

Así se dice

For both pages, discuss the concepts in the boxes and be sure students understand the examples. Then have them complete the activities on a separate sheet of paper. Assist students as necessary. For **Así se dice**, have students read aloud the sounds as they complete the activities.

Recuerda que cuando hay dos vocales juntas, una fuerte (**a, e, o**) y una débil (**i, u**), se forma un **diptongo**. Cuando hay dos vocales débiles (**i, u**), también se forma un diptongo. Los diptongos se pronuncian en una sola sílaba..

- una vocal fuerte y una débil: vieja (v**ie**-ja) aire (**ai**-re)
- dos vocales débiles: ciudad (c**iu**-dad) ruido (r**ui**-do)

1. Separa en sílabas las palabras. Identifica las sílabas con diptongos.

a. clientes clien-tes
b. especial es-pe-cial
c. restaurante res-tau-ran-te
d. vacaciones va-ca-cio-nes
e. abuelos a-bue-los
f. patio pa-tio
g. Laura Lau-ra
h. enviaron en-via-ron
i. fuiste fuis-te
j. tiempo tiem-po

Recuerda que los **cognados** son palabras similares en inglés y en español, tanto en la manera como se escriben como en su significado. Estas palabras ayudan a entender las lecturas.

- interesante / interesting
- celebrar / celebrate

2. Escribe los cognados de las siguientes palabras.

posible	restaurante	vacaciones	famoso
possible	restaurant	vacation	famous

3. Busca la palabra que significa lo mismo en la lectura. El número dice en qué segmento está la palabra.

a. carne cocinada a la parrilla, estilo uruguayo (5) asado
b. llanura sin árboles y muy grande (3) Pampa
c. las personas que van a un lugar a comprar algo (2) clientes

4. Usa las palabras de la actividad anterior para completar las oraciones.

a. El asado con chimichurri está delicioso.
b. El restaurante de Laura se llenó de clientes.
c. Los abuelos viven en la Pampa.

Así se escribe

Las **conjunciones** son palabras que unen dos o más frases o palabras dentro de la oración. Algunas conjunciones son: **y, pero**.

➤ Ernesto nada en el agua **y** toma el sol.

➤ La comida del restaurante es buena, **pero** la gente quiere algo diferente.

1. Completa las oraciones con *y* o *pero*.

   a. Era un restaurante de mucho éxito y muy famoso.

   b. Los padres no fueron de vacaciones, pero no dejaron sin vacaciones a sus hijos.

   c. Ernesto y Laura son hermanos.

   d. El asado era bueno, pero con la idea de Laura va a ser mejor.

Recuerda que la **terminación de los verbos** indica el tiempo: si algo ya pasó (**pasado**), si algo pasa ahora (**presente**) o si algo aún no ha pasado (**futuro**).

➤ Pasado: Yo comí un tamal.

➤ Presente: Yo como un tamal.

➤ Futuro: Yo comeré un tamal.

2. Completa las oraciones con el verbo correcto.

   a. Ernesto y Laura visitaron a sus abuelos en la estancia.

   b. El año pasado, la familia viajó a Punta del Este de vacaciones.

   c. Ernesto y Laura viajaron a la Pampa, en el interior del país.

   d. Los clientes llegaron al restaurante en Montevideo.

A escribir

Discuss with students what happens next in the restaurant. Have students look at the picture on page 38 and discuss Laura's idea. Then have them write a paragraph on a separate sheet of paper. Remind them to use correct punctuation.

- Piensa en la idea de Laura. ¿Crees que fue una buena idea? ¿Por qué?

  Escribe un párrafo. Answers will vary.

Discuss with students the different writing systems of the world: Egyptian hieroglyphs, Chinese characters, the Latin alphabet, etc. Then ask the following questions.

Antes de leer

¿Qué son los jeroglíficos?
What are hieroglyphs?
¿Cómo son los jeroglíficos diferentes a un alfabeto de letras?
How are hieroglyphs different from an alphabet based on letters?
¿Por qué crees que hay muchos sistemas diferentes de escritura?
Why do you think there are many different systems of writing?

Representación de ofrenda de maíz

Números mayas del 0 al 29

Jeroglíficos mayas

Have students read the selection. In order to help with comprehension, you may want to use reading strategies, such as echo reading, retell and summarize, and so on. Point out that the highlighted words are defined in the end glossary. Help students with unfamiliar words and structures, and guide them to decode verbs and verb tenses, as necessary.

1 En las civilizaciones modernas usamos alfabetos de letras para escribir y comunicarnos. Las letras que estás leyendo en esta página, por ejemplo, vienen del alfabeto latino que, a su vez, vienen del alfabeto griego. La mayoría de los alfabetos modernos tienen su origen en un alfabeto que se inventó hace cuatro mil años.

2 Las civilizaciones antiguas, como los mayas, no usaban alfabetos de letras. Usaban “jeroglíficos”, es decir, dibujos o símbolos para escribir y para representar números.

3 La escritura y las matemáticas de los mayas eran muy avanzadas. Sin embargo, cuando los españoles llegaron a América, a principios del siglo dieciséis, todo cambió. Los españoles establecieron escuelas donde los mayas aprendieron latín y español, y a escribir con el alfabeto de letras. Con el paso del tiempo, los mayas olvidaron su escritura. Por eso, cuando los arqueólogos descubrieron los jeroglíficos mayas 300 años después (a fines del siglo dieciocho), no entendían lo que significaban y no podían leerlos.

Los números mayas

4 El primero en “descifrar”, o comprender, los números mayas fue Constantino Rafinesque, un científico europeo. Él identificó los tres símbolos que representan números: un punto era el uno, una raya era el cinco y una concha era el cero. Fue un descubrimiento muy importante para entender las matemáticas de los mayas.

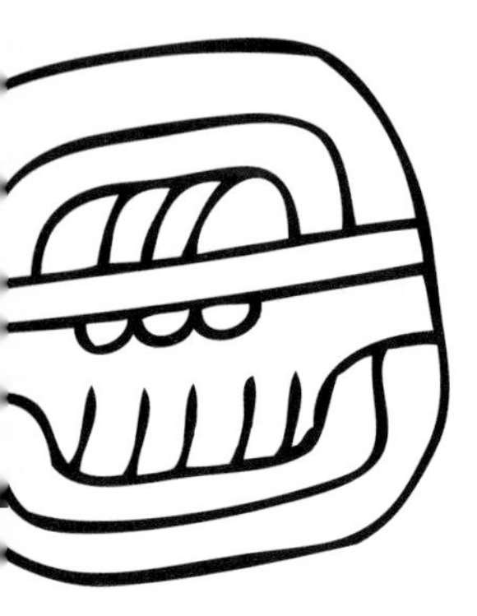

La escritura maya

5 En el siglo veinte los arqueólogos se dieron cuenta que no todos los jeroglíficos mayas representaban una palabra completa. Algunos representaban un sonido, como las letras de nuestro alfabeto, y otros representaban una sílaba. Con este descubrimiento descifraron algunos jeroglíficos, pero no todos.

6 A David Stuart le fascinaban los jeroglíficos mayas. David comenzó sus estudios de los jeroglíficos a los ocho años. Cuando tenía sólo doce años, presentó su primer trabajo científico sobre la escritura maya. Más tarde, se convirtió en arqueólogo y profesor de arqueología maya, en Texas.

7 El trabajo de David para descifrar los jeroglíficos mayas no fue fácil. En su libro *Ten Phonetic Syllables,* publicado en 1987, él describe con gran detalle cada signo que descubrió y su significado. Descubrió que las palabras mayas se escribían de varias maneras, porque usaban diferentes símbolos para escribir el mismo sonido. En español hacemos algo similar con algunas letras. Por ejemplo, ***b**ota* y ***v**ota* tienen el mismo sonido, pero se escriben con letras diferentes.

Escultura llamada "Chac Mool" con jeroglíficos, Chichén Itzá, México

8 Gracias a David, hoy podemos leer muchos jeroglíficos mayas. Pero todavía hay jeroglíficos por descifrar. ¿Quién será la próxima persona que descubrirá cómo descifrarlos? ¿Serás tú?

Comprendo lo que leí

Discuss the selection with students. Then have them complete the activities on a separate sheet of paper.

1. ¿Qué son los jeroglíficos?

   a. Son dibujos para tener en las paredes.
   (b.) Son dibujos o símbolos para escribir y hacer números.
   c. Son el alfabeto latino y griego.

2. Constantino Rafinesque descubrió cómo leer…

   (a.) los números mayas.
   b. las letras griegas.
   c. los números incas.

3. ¿Qué descubrió David Stuart sobre los mayas?

   a. que usaban diferentes alfabetos para escribir la misma cosa
   b. que usaban diferentes sonidos y cada uno tenía un símbolo
   (c.) que usaban diferentes símbolos para escribir el mismo sonido

4. En su sistema de números, los mayas usaban…

   a. el latín.
   b. el alfabeto.
   (c.) el cero.

5. ¿Por qué se olvidó la escritura maya?

   (a.) Porque sólo se enseñaba el español en las escuelas.
   b. Porque nadie entendía a los españoles en las escuelas.
   c. Porque sólo se enseñaba el griego en las escuelas.

6. ¿Crees que las civilizaciones futuras tendrán dificultades para entender nuestro sistema de escritura? Explica. Critical Thinking

   Answers will vary.

Así se dice

For both pages, discuss the concepts in the boxes and be sure students understand the examples. Then have them complete the activities on a separate sheet of paper. Assist students as necessary. For **Así se dice**, have students read aloud the sounds as they complete the activities.

Los **prefijos** son un grupo de letras que se ponen delante de una palabra. Estas letras cambian el significado de la palabra. El prefijo **des–** cambia el significado a lo opuesto de algo.

➤ conectar / desconectar ➤ acuerdo / desacuerdo ➤ aparecer / desaparecer

1. Separa el prefijo *des–* de la raíz de las palabras. Luego, busca las palabras en el diccionario. Busca con prefijo y sin prefijo.

descubrir	descifrar
desconocer	desanimar

des- + cubrir: hallar, encontrar
des- + cifrar: comprender un código
des- + conocer: no saber, no conocer
des- + animar; perder el ánimo

Las **letras** en español a veces tienen sonidos parecidos.

➤ **c/s** = **c**inco/**s**ílaba **j/g** = **j**ardín/**g**eranio

2. Escoge el sonido de *j* o *g*.
   a. jeroglífico / geroglífico
   b. orijen / origen
   c. gente / jente
   d. frigol / frijol

3. Busca la palabra que significa lo mismo en la lectura. El número dice en qué párrafo está la palabra.
   a. símbolos o dibujos que significan algo (2) jeroglíficos
   b. las personas que estudian las civilizaciones antiguas (3) arqueólogos
   c. una persona mostró a mucha gente algo que no conocían (6) presentó

4. Usa las palabras de la actividad anterior para completar las oraciones.
   a. Mi familia estudia los jeroglíficos mayas, ellos son arqueólogos .
   b. Los jeroglíficos no son alfabetos de letras.
   c. David Stuart presentó su primer trabajo científico a los doce años.

Así se escribe

1. Completa las palabras con *b* o *v* en estas oraciones.

   a. La ci v ilización maya era muy a v anzada.

   b. Los mayas usaban sím b olos para escri b ir.

   c. Las letras que conocemos hoy v ienen del alfa b eto latino.

   d. Toda v ía hay jeroglíficos por descifrar.

Los **verbos regulares** son los que mantienen la misma raíz en todos los tiempos.

ganar: **gan**o, **gan**é, **gan**arás

caminar: **camin**o, **camin**aré, **camin**arás

Los **verbos irregulares** son los que cambian su raíz.

decir: **dig**o, **dij**e, **di**rás

tener: **teng**o, **tu**ve, **tend**ré

2. Escoge la raíz del verbo subrayado en las oraciones. Identifica si es regular o irregular.

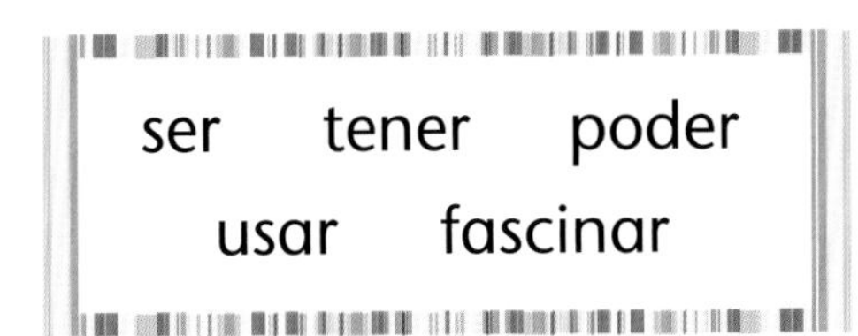

ser tener poder
usar fascinar

   a. Los mayas tenían una civilización avanzada. tener, irregular

   b. Los mayas no usaban letras. usar, regular

   c. La escritura fue un adelanto importante. ser, irregular

   d. Rafinesque pudo descifrar los números. poder, irregular

   e. Me fascina la civilización maya. fascinar, regular

A escribir

Discuss with students the future of Mayan research, such as what is left to discover, and who will discover it. Then have them write a paragraph on a separate sheet of paper. Remind them to use correct punctuation.

- ¿Cómo serán las investigaciones mayas en el futuro? ¿Qué descubrirán los arqueólogos? Escribe un párrafo.

Answers will vary.

Discuss with students the different holidays they associate with winter and summer (e.g., Independence Day in July, Thanksgiving in November, New Year's Day in January, etc.). Then ask the following questions.

Antes de leer

¿Qué fiestas celebras en verano?
What holidays do you celebrate during summertime?
¿Qué fiestas celebras en invierno?
What holidays do you celebrate during wintertime?
¿Cómo celebras estas fiestas?
How do you celebrate these holidays?

El Gran Inca hace una ofrenda al dios sol

El Inti Raymi: La Fiesta del Sol

María Á. Pérez

Have students read the selection. In order to help with comprehension, you may want to use reading strategies, such as echo reading, retell and summarize, and so on. Point out that the highlighted words are defined in the end glossary. Help students with unfamiliar words and structures, and guide them to decode verbs and verb tenses, as necessary.

1 Hay dos días en el año donde la posición del sol afecta a la tierra. Estos dos días se llaman solsticios. Los solsticios son muy importantes para los pueblos que viven de la agricultura, porque las cosechas dependen del sol.

2 Hay dos solsticios al año. El 21 de junio es el solsticio de verano, que marca el comienzo del verano. El 21 de diciembre es el solsticio de invierno, que marca el comienzo del invierno. Desde hace miles de años, muchos pueblos en todo el mundo celebran los solsticios con grandes fiestas.

3 El 21 de junio es el comienzo del verano en los países que están al norte del ecuador y es el comienzo del invierno en los países al sur del ecuador.

4 En el invierno las noches son más largas y los días más cortos y fríos. No hay mucho sol. No es buena época para sembrar porque las plantas necesitan sol y calor. Los cultivos de maíz, papas, tomates y frijoles no pueden crecer ni dar fruto si no hay sol. Estos alimentos eran muy importantes para los incas. Sin el sol, los incas no podían plantar sus cultivos.

Festival Inti Raymi, donde se representa a El Sapa Inca o Gran Inca

5 Por eso los pueblos que eran parte del imperio inca, en la cordillera de los Andes, celebraban el solsticio que comenzaba el 21 de junio con un gran festival. Este festival se llamaba "Inti Raymi", que significa "Fiesta del Sol".

6 En esta fiesta, los habitantes de los Andes se reunían en sus ciudades para llevar ofrendas al sol. Al presentar estos regalos al sol, le pedían que por favor regresara para calentar la Tierra.

7 Hoy día el Inti Raymi es una celebración muy importante en Ecuador, Perú y Bolivia. Perú y Bolivia están al sur del ecuador y, para ellos, el 21 de junio es el comienzo del invierno.

8 En Ecuador, sin embargo, el 21 de junio es el comienzo del verano, como para nosotros en Estados Unidos.
En Ecuador la festividad del Inti Raymi se celebra en distintas regiones y ciudades del país. La celebración dura varios días en los que hay desfiles, música y bailes. También se comen los alimentos típicos de la región para agradecer la abundancia de la tierra.

9 De esta manera se sigue una tradición que tiene miles de años y que nos recuerda la importancia de la naturaleza y de las estaciones.

Celebración en el Templo del Sol

Comprendo lo que leí

Discuss the selection with students. Then have them complete the activities on a separate sheet of paper.

1. ¿Qué nos recuerda la celebración de Inti Raymi?

   a. que debemos comenzar a sembrar
   b. que debemos comer, bailar y celebrar
   (c.) que la naturaleza es muy importante

2. ¿Cuándo comienza el invierno en los países al sur del ecuador?

   (a.) el 21 de junio
   b. el 21 de diciembre
   c. el 21 de enero

3. ¿Qué le pedían los habitantes de los Andes al sol?

   a. que no regresara para que no haya calor
   b. que regresara a comer, bailar, y desfilar
   (c.) que regresara para calentar la Tierra

4. La fiesta del Inti Raymi la celebran Perú, Ecuador y…

   a. Argentina.
   (b.) Bolivia.
   c. Guatemala.

5. Los solsticios marcan el comienzo del invierno y…

   a. de la primavera.
   (b.) del verano.
   c. del otoño.

6. ¿Por qué son importantes los solsticios para la agricultura? Critical Thinking

   Answers will vary.

For both pages, discuss the concepts in the boxes and be sure students understand the examples. Then have them complete the activities on a separate sheet of paper. Assist students as necessary. For **Así se dice**, have students read aloud the sounds as they complete the activities.

Así se dice

Recuerda que los **antónimos** son palabras que tienen significados opuestos.

- *fácil / difícil*
- *subir / bajar*
- *detrás / delante*

1. Escoge el antónimo de la palabra subrayada en las oraciones. Usa el diccionario.

- Las estaciones nos indican cuándo debemos <u>sembrar</u>.
  a. (cosechar) b. plantar
- Los solsticios marcan el <u>comienzo</u> del invierno y del verano.
  a. inicio b. (final)
- Los incas se reunían para <u>llevar</u> ofrendas al Sol.
  a. (traer) b. dar

2. Escoge el sinónimo de la palabra subrayada en las oraciones. Usa el diccionario.

- El sol puede <u>afectar</u> a la tierra.
  a. (perjudicar) b. favorecer
- El sol va a <u>regresar</u> cada verano.
  a. marcharse b. (volver)
- Es una fiesta para <u>recordar</u> la importancia de la naturaleza.
  a. (acordarse) b. olvidar

3. Busca la palabra que significa lo mismo en la lectura. El número dice en qué párrafo está la palabra.

a. frutos que se recogen de la tierra (1) cosechas
b. seres vivos sujetos a la tierra, que necesitan del sol para crecer (4) plantas
c. las cuatro épocas del año (9) estaciones

4. Usa las palabras de la actividad anterior para completar las oraciones.

a. Las plantas tienen muchas flores en primavera.
b. Las cosechas de los agricultores son importantes para todos.
c. Me gusta vivir en un lugar que tiene las cuatro estaciones.

Así se escribe

Recuerda que las **oraciones** tienen dos partes: **sujeto** y **predicado**. El sujeto es la persona, objeto o animal del que se habla en la oración. El predicado es lo que se dice del sujeto.

➤ Los incas celebran el Inti Raymi.

Sujeto: los incas Predicado: celebran el Inti Raymi

1. Identifica el sujeto y el predicado en estas oraciones.

   a. Los incas decidieron hacerle una fiesta al sol.
   Sujeto: los incas Predicado: decidieron hacerle una fiesta al sol

   b. Los solsticios indican el comienzo del invierno y el verano.
   Sujeto: los solsticios Predicado: indican el comienzo del invierno y el verano

   c. La gente en Ecuador celebra con desfiles, música y bailes.
   Sujeto: la gente en Ecuador Predicado: celebra con desfiles, música y bailes

Recuerda que **los adverbios** son palabras que modifican el significado de un verbo y dicen **de qué modo** se hace algo, **dónde** se hace, **cuándo** se hace o **cómo** pasa.

➤ Los incas celebran **mañana** el Inti Raymi.

➤ Los habitantes se reúnen **aquí** todos los años.

2. Identifica los adverbios en estas oraciones.

   a. Los niños comen alegremente los alimentos típicos. alegremente

   b. Los habitantes piden que el sol regrese pronto a sus tierras. pronto

   c. En las fiestas la gente baila bastante y disfruta mucho. bastante / mucho

3. Completa las oraciones con el verbo correcto.

   a. Hace siglos, los incas celebraron el primer Inti Raymi.

   b. Hoy día, en Ecuador se celebra el Inti Raymi.

   c. En esa primera fiesta, los incas llevaron regalos.

A escribir

Discuss with students the importance of knowing two languages. Have them tell why more than two languages can be better. Then have them write a paragraph on a separate sheet of paper. Remind them to use correct punctuation.

- Piensa en tu celebración o día festivo favorito. ¿Cómo se celebra? Escribe un párrafo. Answers will vary.

Discuss with students pets and their care. Emphasize that caring for pets is a daily responsibility. Then ask the following questions.

Antes de leer

¿Qué mascotas conoces?
What pets do you know?
¿Qué mascotas te gustan? ¿Por qué?
What pets do you like? Why?
¿Qué necesitan las mascotas?
What do pets need?

Have students read the selection. In order to help with comprehension, you may want to use reading strategies, such as echo reading, retell and summarize, and so on. Point out that the highlighted words are defined in the end glossary. Help students with unfamiliar words and structures, and guide them to decode verbs and verb tenses, as necessary.

Personajes

MIKI, perro
EUSEBIO, gato
TRINI, canaria
AUGUSTO, conejo
YIYO, hámster
BRUNO, pez
MUJER, dueña de Miki

1 *Una plaza de barrio. Junto a un árbol está el perro Miki. Mira hacia un lado y hacia otro y da vueltas en un mismo lugar.*
Miki. ¡Qué raro! ¡Mis dueños todavía no han venido a buscarme!... ¿Se habrán confundido de plaza?

5 *Entran el gato Eusebio, la canaria Trini, el conejo Augusto y el hámster Yiyo. Eusebio lleva sobre el lomo una pecera en la que viaja el pez Bruno. El grupo se detiene junto al árbol donde está Miki.*
AUGUSTO. (*A Miki.*) ¡Hola! ¿Cómo te llamas?

10 MIKI. Me llamo Miki.
TRINI. ¿Vienes a la reunión?
MIKI. ¿A la reunión? ¿Qué se celebra?
YIYO. (*A Bruno.*) Ahhh... Pero entonces, éste no sabe nada...

BRUNO. ¿Y tú por qué estás acá, se puede saber?

15 MIKI. Yo... estoy esperando que mis dueños vengan a buscarme. (*Todos se miran entre sí.*)

AUGUSTO. Ahhh... ¿Y hace mucho que esperas?

MIKI. Hace más de una hora.

EUSEBIO. (*A sus amigos.*) Tenemos que decírselo.

20 MIKI. (*Nervioso.*) ¿Decirme qué?

AUGUSTO. Mira, Miki, a nosotros nos pasó lo mismo que a ti. Somos mascotas abandonadas por sus dueños.

MIKI. (*A punto de llorar.*) ¿Mascotas abandonadas? Mis dueños no serían capaces de hacerme eso.

25 EUSEBIO. Las personas no son todas malas. Pero algunas creen que somos juguetes. Y cuando se cansan de nosotros, nos dejan en una placita como ésta.

MIKI. (*Muy enojado.*) ¡Hay que hacer algo!

AUGUSTO. Para llamar la atención de la gente, vamos a
30 presentar un show. Por eso estamos aquí, para organizar
la presentación.

TRINI. Cada uno va a mostrar lo que sabe hacer...

YIYO. Y al final, pintamos y repartimos volantes que digan:
"Las mascotas no somos juguetes. No nos abandonen".

35 MIKI. ¡Muy bien! Yo digo que empecemos ahora.

(*En ese momento se escucha una voz de mujer.*)

MUJER. ¡Miki! ¡Ven mi perrito que ya es tarde!

MIKI. (*Muy contento.*) ¡Me vinieron a buscar! (*Miki sale de la escena corriendo.*)

40 BRUNO. Ah, claro, muy bonito... Iba a ayudarnos
y desaparece.

MIKI. (*Entra sorpresivamente.*) ¡Escuchen! ¡Tengo buenas noticias! Les conté todo a mis dueños. Ellos tienen una casa muy grande y adoran a las mascotas. Así que… ¡todos vienen conmigo!

45 TODOS. ¡¡¡Bieeeeeen!!! ¡¡¡Vamos!!!

MIKI. Un momentito. Antes, vamos a hacer el show. No se olviden que muchas mascotas no tienen nuestra suerte.

AUGUSTO. Eso es cierto. ¡Que comience la función!

50 *Las mascotas muestran sus habilidades. La gente se acerca entusiasmada. Y luego todas las mascotas se van a su nuevo hogar.*

Comprendo lo que leí

Discuss the selection with students. Then have them complete the activities on a separate sheet of paper.

1. ¿Cómo se siente Miki mientras espera a sus dueños?
   a. tranquilo
   (b.) nervioso
   c. contento

2. Las mascotas de la obra...
   (a.) fueron abandonadas.
   b. viven con sus dueños.
   c. se escaparon.

3. ¿Por qué van a adoptar los dueños de Miki a las mascotas?
   a. Porque les gustó el show.
   b. Porque abandonaron a Miki.
   (c.) Porque las quieren.

4. ¿Cómo se siente Miki cuando escucha que su dueña lo busca?
   a. muy enojado
   (b.) muy contento
   c. nervioso

5. ¿Qué cree Eusebio sobre las personas?
   a. que todas son malas
   b. que todas son buenas
   (c.) que no todas son malas

6. ¿Qué mensaje quieren dar las mascotas a las personas? Critical Thinking
   Answers will vary.

Así se dice

For both pages, discuss the concepts in the boxes and be sure students understand the examples. Then have them complete the activities on a separate sheet of paper. Assist students as necessary. For **Así se dice**, have students read aloud the sounds as they complete the activities.

Los **antónimos** son palabras que tienen significados opuestos.

➤ fácil / difícil ➤ subir / bajar ➤ detrás / delante

1. Escoge el antónimo de las palabras.

a. grande pequeño
b. olvidar recordar
c. empezar terminar
d. nervioso tranquilo

Los **prefijos** son un grupo de letras que se ponen delante de una palabra. Estas letras cambian el significado de la palabra. El prefijo **des–** cambia el significado de la palabra a lo opuesto de algo.

➤ conectar / desconectar ➤ acuerdo / desacuerdo ➤ aparecer / desaparecer

2. Añade el prefijo *des-*. Busca en el diccionario el significado de la nueva palabra.
   a. cuidar descuidar: no ocuparse bien de una persona o cosa
   b. organizar desorganizar: dejar algo sin ningún orden
   c. pintar despintar: quitar o perder la pintura

3. Busca la palabra que significa lo mismo en la lectura. El número dice en qué segmento está la palabra.
   a. personas que tienen o poseen algo (1) dueños
   b. animales que se tienen en la casa (20) mascotas
   c. representación de un espectáculo (45) función

4. Usa las palabras de la actividad anterior para completar las oraciones.
   a. Durante la función, las mascotas bailaron y cantaron.
   b. Las mascotas estaban tristes porque habían sido abandonadas.
   c. Los dueños de Miki no se olvidaron de él.

Así se escribe

El verbo **ser** se usa para hablar de una condición permanente.

- Inés **es** la vecina de Óscar.
- Las casas de mis vecinos **son** grandes.
- Yo **soy** Óscar.

1. Completa las oraciones con el verbo *ser*.

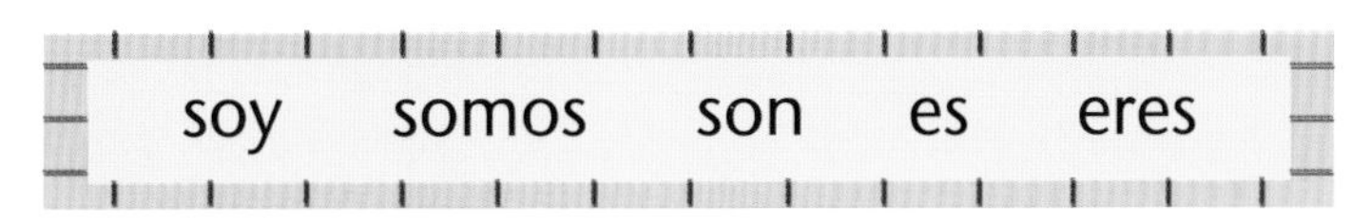

a. Las mascotas son inteligentes.
b. Eusebio es amigo de Bruno.
c. Yo soy bueno con las mascotas.
d. Nosotros no somos juguetes.
e. Tú eres una mascota del barrio.

Los **adjetivos** son palabras que describen cómo son las personas, lugares, animales y objetos.

- un señor **alto**
- una tienda **grande**
- el león **viejo**
- una carta **importante**

2. Identifica los adjetivos en estas oraciones.

a. MIKI. (*Muy enojado.*) ¡Hay que hacer algo!
b. MIKI. (*Nervioso.*) ¿Decirme qué?
c. Somos mascotas abandonadas.
d. Ellos tienen una casa muy grande.
e. Las personas no son todas malas.

A escribir

Discuss with students the slogan on the flyers that the pets made. Have students think about why they chose those words (they felt misused and abandoned). Then have them write a paragraph on a separate sheet of paper. Remind them to use correct punctuation.

- Los volantes decían: "Las mascotas no somos juguetes. No nos abandonen". ¿Qué significa esto? Escribe un párrafo. Answers will vary.

2 ¿Cómo vivimos?
Descubre España

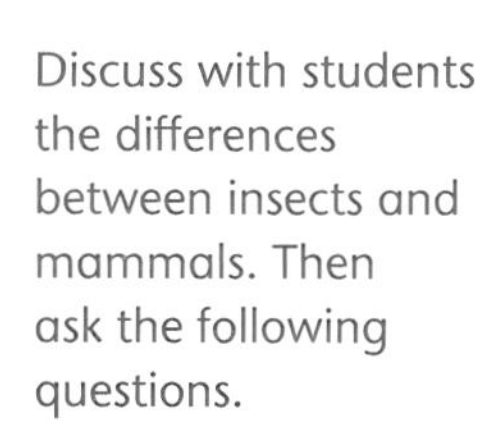

Discuss with students the differences between insects and mammals. Then ask the following questions.

Antes de leer

¿Qué insectos conoces?
What insects do you know?
¿Qué mamíferos conoces?
What mammals do you know?
¿Cómo son los insectos? ¿Cómo son los mamíferos?
What are insects like? What are mammals like?

La batalla

versión de un cuento folclórico español

Have students read the selection. In order to help with comprehension, you may want to use reading strategies, such as echo reading, retell and summarize, and so on. Point out that the highlighted words are defined in the end glossary. Help students with unfamiliar words and structures, and guide them to decode verbs and verb tenses, as necessary.

1 Era verano en el campo, y cuando es verano, el campo se llena de muchas cosas brillantes —como las enormes estrellas en la noche—, de muchas cosas olorosas —como los frutos y las flores tardías—, de muchas cosas luminosas —como el sol que alarga su siesta hasta muy tarde— y de una sola cosa ruidosa: el grillo que vivía en un agujero, justo, justo en la puerta de la cueva del zorro.

2 Y, si bien el grillo se pasaba toda la noche haciendo cri-cri-cri y de nuevo cri-cri-cri, el zorro no estaba tan silencioso que digamos: ¡se pasaba la noche gritando amenazas al pobre grillo que no lo dejaba dormir!

—¡Te vas a callar de una buena vez! ¡Si no te callas, ya vas a ver!

3 El grillo, inmutable.

—Cri-cri-cri —salía de su agujerito con un ritmo feliz y despreocupado.

4 Como si los zorros enojados fueran personajes imaginarios de las fábulas y no personajes serios, muy serios, y, cuando están furiosos, un peligro mayor para grillos cantores.

5 Un día pasó lo que todos en el campo esperaban que pasara. El zorro dijo ¡basta! y le declaró la guerra al grillo. Y ya que estaba en eso, le declaró la guerra a todos los animales de muchas patas, sin preocuparse si eran cantores o no.

6 Como el zorro era astuto, decidió que lo mejor sería llamar a la batalla a todos los animales de cuatro patas para que fueran sus aliados. Parece que la guerra era una cuestión de matemáticas.

7 El grillo, enterado de esta terrible alianza, se dijo: Mejor varias patitas flaquitas que saben tocar violín, que cuatro patas que solo sirven para rondar por el gallinero. Estaba enojado, pero igual no se olvidaba de cantar cri-cri-cri todas las noches.

8 Lo primero que hizo el grillo fue llamar a las chinches, a las pulgas, a las garrapatas, a las avispas, a los mosquitos, a las arañas, a los piojos, a las tarántulas y a todos los animales con muchas patas. Cuando llegaron, el grillo estaba orgulloso: ¡todos sus amigos habían venido! Pidió silencio y luego anunció:

—El zorro nos ha declarado la guerra.

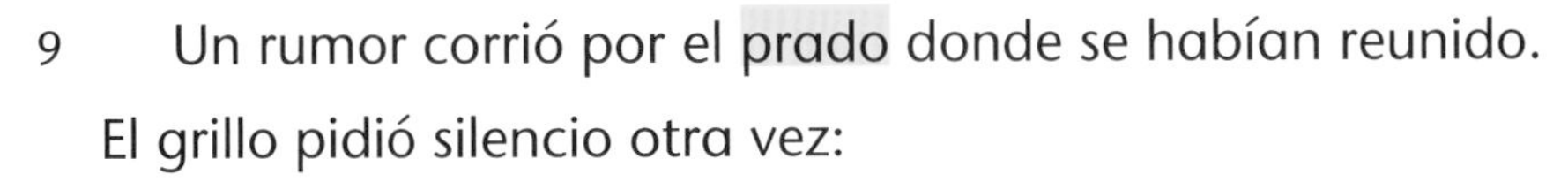

9 Un rumor corrió por el prado donde se habían reunido. El grillo pidió silencio otra vez:

—Calma, amigos. Se me ha ocurrido una idea muy interesante...

10 La idea era tan audaz que muchos animalitos vacilaron... ¡pero eran muy valientes y la pusieron en práctica!

11 Esa misma noche, las chinches, las pulgas, las garrapatas y los piojos se escondieron entre los pelos de los osos, los lobos, los zorros y los animales de cuatro patas. Allí, bien escondidos, escucharon lo que el zorro decía a sus aliados:

—Si la batalla está ganada llevaré la cola levantada. Si la batalla está perdida llevaré la cola caída.

12 Era una noticia importante. El grillo, al enterarse, dijo que tenía otra idea también interesante. Los animalitos temblaron... ¡la primera idea había sido difícil de cumplir! El grillo los tranquilizó y comenzó a explicarles el próximo plan. Por fin, llegó el día de la batalla. Todos estaban preparados. Los animales de cuatro patas seguían con la vista la cola del jefe zorro, de acuerdo con lo que habían acordado. Los animalitos de muchas patas pusieron en marcha la segunda e interesante idea de su jefecito el grillo.

13 Apenas comenzaron la pelea, las avispas se colocaron debajo de la cola del zorro y lo picaron y picaron con todas sus fuerzas.

14 El zorro estaba desesperado: si bajaba la cola, sus animales se retirarían de la lucha, creyendo la batalla perdida; por otra parte, si seguía con la cola levantada, ni toda el agua del río iba a calmarle la picazón que estaba sintiendo… ¡No sabía qué hacer!... Corría y corría, y aguantaba el dolor hasta que, corriendo hacia el río gritó con todas sus fuerzas, mientras bajaba la cola:

—Al río, al río, soldados míos, que la batalla la ganó el grillo.

15 Los animalitos de muchas patas no lo podían creer: ¡habían ganado! Y, desde ese día, el grillo pudo cantar todas las noches y fue feliz, mientras el zorro se ponía paños fríos y lo escuchaba, resignado.

Comprendo lo que leí

Discuss the selection with students. Then have them complete the activities on a separate sheet of paper.

1. ¿Cómo era el grillo?

   a. luminoso
   (b.) ruidoso
   c. tardío

2. ¿Por qué estaba enojado el zorro con el grillo?

   a. Porque vivía en su cueva.
   (b.) Porque no le dejaba dormir.
   c. Porque le gritaba.

3. ¿A quién le declaró la guerra el zorro?

   a. al grillo
   (b.) al grillo y a todos los animales de muchas patas
   c. a los animales de cuatro patas

4. ¿Qué hicieron los animales de muchas patas para escuchar los planes del zorro?

   a. Cantaron toda la noche cri-cri-cri.
   b. Se reunieron en el prado.
   (c.) Se escondieron entre los pelos de los animales de cuatro patas.

5. ¿Por qué baja el zorro la cola?

   (a.) Porque tiene mucha picazón.
   b. Porque pierde la batalla.
   c. Porque no sabe qué hacer.

6. ¿Por qué le declaró el zorro la guerra al grillo? Critical Thinking

   Answers will vary.

Así se dice

For both pages, discuss the concepts in the boxes and be sure students understand the examples. Then have them complete the activities on a separate sheet of paper. Assist students as necessary. For **Así se dice**, have students read aloud the sounds as they complete the activities.

Las **rimas** son repeticiones de un mismo sonido al final de dos palabras.

- flo**res** - colo**res**
- ver**ano** - tempr**ano**

1. Identifica las palabras que riman en las oraciones.

   a. Si la batalla está ganada llevaré la cola levantada. ganada, levantada

   b. Si la batalla está perdida llevaré la cola caída. perdida, caída

   c. Al río, al río, soldados míos. río, míos

Recuerda que los **antónimos** son palabras que tienen significados opuestos.

- fácil / difícil
- subir / bajar
- detrás / delante

2. Escoge el antónimo de estas palabras.

   a. ganada perdida

   b. ruidosa silenciosa

   c. despreocupado preocupado

   d. levantada caída

3. Busca la palabra que significa lo mismo en la lectura. El número dice en qué segmento está la palabra.

   a. que no cambia, que se queda igual (3) inmutable

   b. que cantan (4) cantores

   c. insectos muy pequeños que viven en el pelo de las personas (8) piojos

4. Usa las palabras de la actividad anterior para completar las oraciones.

   a. Los piojos eran aliados del grillo.

   b. Los animalitos cantores vivían felices en sus agujeritos.

   c. El zorro gritaba y gritaba, pero el grillo seguía inmutable .

Así se escribe

1. Corrige la división de las palabras en el párrafo.

> Lo primero que hizo el grillo fue llam-
> ar a las chinches, a las pulgas, a las gar-
> rapatas, a las avispas, a los mosqu-
> itos, a las arañas y, a los piojos.

Lo primero que hizo el grillo fue llamar a las chinches, a las pulgas, a las garrapatas, a las avispas, a los mosquitos, a las arañas y a los piojos.

Los **verbos** son palabras que se usan para expresar acciones. Los verbos tienen tres terminaciones en el **infinitivo**. El infinitivo es su forma más básica, sin conjugar.

➤ –**ar** (hablar), –**er** (comer), –**ir** (escribir).

2. Escribe el infinitivo del verbo subrayado en estas oraciones.

   a. El zorro le gritaba amenazas al grillo. gritar

   b. El zorro reunió a sus amigos para la batalla. reunir

   c. El grillo tiene buenas ideas. tener

Los **prefijos** son un grupo de letras que se ponen delante de una palabra. Estas letras cambian el significado de la palabra. El prefijo **in**– cambia el significado a lo opuesto.

➤ completo / incompleto ➤ adecuado / inadecuado

3. Añade el prefijo *in*–. Busca en el diccionario el significado de la nueva palabra.

   a. condicional incondicional: sin poner ninguna condición

   b. comprensible incomprensible: que no se puede comprender o es muy difícil de comprender

   c. correcto incorrecto: que no es cierto

   d. cómodo incómodo: que le falta comodidad

Discuss with students the relationship between the fox and the cricket. Have students think about the lack of cooperation between the two animals and how they could improve their relationship. Then have them write a paragraph on a separate sheet of paper. Remind them to use correct punctuation.

A escribir

- Por no saber cooperar, el zorro y el grillo se declaran la guerra. ¿Qué pueden hacer para evitar una guerra en el futuro? Escribe un párrafo.

Answers will vary.

Discuss with students celebrations and holidays in which they have participated. Then ask the following questions.

Antes de leer

¿Cuáles son tus fiestas y celebraciones favoritas? ¿Por qué?
What are your favorite holidays and celebrations? Why?
¿Cuándo son estas celebraciones?
When do these celebrations take place?
¿Qué actividades y juegos hay en esas fiestas?
What activities and games do those celebrations have?

Niños en una carroza durante un carnavalito

Banda musical estudiantil

Have students read the selection. In order to help with comprehension, you may want to use reading strategies, such as echo reading, retell and summarize, and so on. Point out that the highlighted words are defined in the end glossary. Help students with unfamiliar words and structures, and guide them to decode verbs and verb tenses, as necessary.

1 Las fiestas, ferias y carnavales son eventos típicos de la vida en los pueblos y ciudades de El Salvador. En estas fiestas hay música, bailes, desfiles, comida y mucha diversión. Los amigos, vecinos y parientes se reúnen para celebrar e ir juntos a los distintos actos.

2 Una de las fiestas más famosas de El Salvador tiene lugar en la ciudad de San Miguel, al este del país. Durante todo el mes de noviembre se celebra en esta ciudad el carnaval de San Miguel. Al carnaval asisten personas de todo El Salvador, de otros países de América Central, ¡y hasta de Estados Unidos!

Carroza con tema floral

Desfile de disfraces

Carroza imitando un jardín

3 El carnaval de San Miguel comienza con un desfile, llamado desfile de correos, en el que salen varias carrozas por la ciudad. En los días siguientes, hacen una ceremonia para elegir y coronar a la reina del carnaval. La joven elegida como reina también desfila en una carroza por la ciudad.

4 Durante las semanas siguientes, tienen lugar los llamados "carnavalitos", que son fiestas en cada barrio de la ciudad. Todos los días hay conciertos de grupos musicales de salsa, samba, rock, reggae, merengue y más. También hay bandas musicales estudiantiles que representan a las distintas escuelas de la ciudad. En total participan más de 20 grupos musicales en el carnaval de San Miguel.

Carroza en un desfile de correos

Banda musical de tambores

5 Durante el carnaval hay una feria con puestos de comida, juegos mecánicos, venta de artesanías y mucho entretenimiento. También hay competencias de ciclismo y partidos de fútbol, que es el deporte favorito de los salvadoreños.

6 El "jaripeo" es otro de los eventos favoritos del carnaval. Es parecido al rodeo que se practica en el oeste de Estados Unidos, pero en El Salvador el jinete se monta encima de un toro en lugar de un caballo, e intenta dominarlo. El jinete tiene que tener mucha habilidad y concentración para no caerse del toro.

7 El carnaval de San Miguel termina el último sábado de noviembre con un gran desfile de carrozas.

Artesano en puesto de artesanías

Reina del carnaval en carroza

Competencia de rodeo a caballo

8 Las fiestas "agostinas" son otras celebraciones muy populares en El Salvador. Se llaman así porque se celebran en agosto, en la ciudad de San Salvador, la capital del país. Estas fiestas duran una semana y comienzan también con un desfile.

9 En estas fiestas hay circos, teatros, bailes típicos, payasos y mimos. También hay venta de comida y de golosinas deliciosas, como el dulce de algodón. Y, por supuesto, no pueden faltar los juegos mecánicos como la montaña rusa y la rueda.

10 Otro de los principales atractivos de las fiestas agostinas son los "viejos de agosto". Estos personajes son hombres vestidos con máscaras y disfraces muy graciosos que divierten a la gente y hacen travesuras durante las fiestas.

11 En las fiestas de agosto y de cualquier temporada, en El Salvador ¡la diversión está asegurada!

Puesto de comida

"Viejos de agosto"

Comprendo lo que leí

Discuss the selection with students. Then have them complete the activities on a separate sheet of paper.

1. ¿Cuándo es el carnaval de San Miguel?
   - (a.) en el mes de noviembre
   - b. en el mes de agosto
   - c. en la última semana de noviembre

2. En las fiestas salvadoreñas hay música, comida y...
   - a. viejos.
   - (b.) desfiles.
   - c. correos.

3. ¿En qué actividad participan un jinete y un toro?
   - a. en las competencias de ciclismo
   - b. en los desfiles de carrozas
   - (c.) en los jaripeos

4. ¿Cómo divierten los "viejos" de agosto a la gente?
   - a. haciendo mimos
   - (b.) haciendo travesuras
   - c. haciendo un desfile

5. ¿Cuál de estos es un juego mecánico?
   - a. las golosinas
   - (b.) la montaña rusa
   - c. los mimos

6. ¿Por qué llaman "carnavalitos" a las fiestas de cada barrio de la ciudad? Critical Thinking

   Answers will vary.

Así se dice

For both pages, discuss the concepts in the boxes and be sure students understand the examples. Then have them complete the activities on a separate sheet of paper. Assist students as necessary. For **Así se dice,** have students read aloud the sounds as they complete the activities.

Los **sinónimos** son palabras que tienen significados semejantes.

➤ dulces : golosinas   casa : hogar

1. Sustituye la palabra subrayada con su sinónimo en estas oraciones.

   a. Asisten personas de todo El Salvador. (van / marchan / ayudan)
   b. Salen carrozas por la ciudad. (camionetas / carruajes / reinas)
   c. En los carnavales practican el jaripeo. (empiezan / realizan / concentran)
   d. El jinete domina al toro. (monta / enlaza / controla)

Los **cognados** son palabras que son similares en inglés y en español, tanto en la manera como se escriben como en su significado.

➤ interesante / *interesting*   ➤ celebrar / *celebrate*

2. Escribe los cognados de estas palabras.

   a. típico typical
   b. ceremonia ceremony
   c. populares popular
   d. celebraciones celebrations
   e. bandas bands
   f. conciertos concerts

3. Busca la palabra que significa lo mismo en la lectura. El número dice en qué párrafo está la palabra.

   a. personas de una misma familia (1) parientes
   b. deporte de carreras en bicicleta (5) ciclismo
   c. dulces (9) golosinas

4. Usa las palabras de la actividad anterior para completar las oraciones.

   a. El ciclismo es mi deporte favorito.
   b. Voy a visitar con mis parientes la ciudad de San Miguel.
   c. En las ferias hay todo tipo de golosinas .

Así se escribe

Los **sustantivos colectivos** son nombres que hablan de un conjunto de personas, animales o cosas en singular.

➤ equipo (grupo de jugadores) ➤ rebaño (grupo de ovejas)

1. Identifica los sustantivos colectivos en estas oraciones.

   a. La (banda) de mi escuela va a desfilar.
   b. En mi (barrio) celebramos los carnavalitos.
   c. La (gente) se divierte mucho durante el carnaval de San Miguel.

Las **conjunciones** son palabras que unen sustantivos y pronombres con otros elementos dentro de una oración. La conjunción **y** se convierte en **e** antes de una palabra que empiece con **i**. La conjunción **o** se convierte en **u** antes de una palabra que empiece con **o**.

➤ Julio **e** Irma ➤ siete **u** ocho

2. Completa con *y* o con *e*.

   • Ana e Isabel • Lee y estudia. • Visita Perú e Italia. • Venía e iba.

3. Completa con *u* o con *o*.

   • fresas o uvas • septiembre u octubre • verde o azul • uno u otro

Muchos **adjetivos** se forman a partir de un sustantivo. Por lo general, se agrega una terminación, es decir un **sufijo**, al sustantivo y se forma el adjetivo.

➤ música: musical ➤ infante/niño: infantil ➤ fiebre: febril

4. Forma adjetivos con los sufijos *-al* o *-il*.

   a. ceremonia ceremonial
   b. estudiante estudiantil
   c. comercio comercial
   d. joven juvenil

A escribir

Discuss with students the different events of the two "fiestas" mentioned in the reading. Invite students to say which activities they think are the most fun. Then have them write a paragraph on a separate sheet of paper. Remind them to use correct punctuation.

● Imagina que estás en El Salvador y participas en una de sus fiestas. ¿En qué fiesta participas? ¿Qué haces? ¿Cómo te diviertes? Escribe un párrafo. Answers will vary.

Discuss with students competitive games and sports. Point out that in competitive games someone wins and someone loses, and the consequences involved. Then ask the following questions.

Antes de leer

¿Qué deporte te gusta? ¿Lo juegas?
What sport do you like? Do you play it?
¿Has participado en alguna competencia deportiva?
Have you taken part in a sports competition?
¿Qué es más importante, jugar o ganar? ¿Por qué?
What is more important, playing or winning? Why?

Real Rana Saltadora

Jessenia Pagán Marrero
adaptación

Have students read the selection. In order to help with comprehension, you may want to use reading strategies, such as echo reading, retell and summarize, and so on. Point out that the highlighted words are defined in the end glossary. Help students with unfamiliar words and structures, and guide them to decode verbs and verb tenses, as necessary.

1 El año pasado estuvo entrenando por un mes. ¡Si la hubiesen visto! Así gana cualquiera. Bueno, la verdad es que yo no entrené; quería ganar, pero jugar se me hacía más divertido.

—¿Qué haces? —le dije un día antes de la competencia del año pasado.

—Entrenando, Lola —me dijo Cali con una de sus acostumbradas sonrisas—. Quiero ganarte.

2 Cali es mi mejor amiga. Crecimos juntas, pero desde hace tres años pertenecemos a grupos distintos en nuestra escuela. A ella asistimos todas las ranas de la comarca.

3 Todos los años se realiza la competencia "Real Rana Saltadora". Cada grupo de la escuela escoge un representante. ¡Adivinen a quiénes escogieron nuestros grupos! Sí, ¡a Cali y a mí!

—No sería la primera vez que me ganas —le dije a Cali—. Pero esta vez, yo comeré pizza.

—¡Ja, ja! —rió a carcajadas— ¡Ya lo veremos!

4 El día de la competencia, todas las ranas ganadoras van al Pizzarrana a comer toda la pizza que quieran. Yo nunca lo he hecho. El año pasado fue Cali la que se comió toda la pizza que quiso.

5 Esa tarde, mi papá me llevó a comer helado para celebrar mi segundo lugar. ¡Celebrar mi segundo lugar! Yo quería ganar.

6 Cuando mi papá y yo salimos de la heladería, nos topamos con las ranas saltadoras. Todas las ganadoras, estaban allí.

—¿Quieres pizza? —me preguntó Cali, sonriendo tímidamente.

—¡Lola no ganó! ¡Hoy no come pizza! —dijo una de las ranas.

—No quiero, gracias —le dije a Cali, aguantando las ganas de gritar.

7 Mi papá, como todo buen padre, quiso hacerme sentir bien.

—Sabes, no es malo llegar segunda —me dijo—. Lo importante es hacer tu mayor esfuerzo. Hay ocasiones en las que un helado es mejor que un pedazo de pizza —dijo mi padre.

8 Casi un año había pasado. Ya se acercaba nuevamente la competencia.

9 Cali siempre ha saltado más rápido que yo, pero quería ganarle. Comencé a entrenar. Todos los días saltaba y saltaba. Uno de los tantos días de entrenamiento, vino a verme mi primo Lito.

—¿Qué haces? —me preguntó— ¿Por qué no vienes a jugar?

—Estoy entrenando —le dije—. Debo ganarle a Cali.

—Si quieres ganarle, ¿por qué no la invitas a jugar al Bosque Espinoso? Llévala entre los árboles para que se lastime una pata. Con la herida de una espina, no podrá saltar muy rápido —me dijo, antes de salir corriendo.

10 Lo que me dijo Lito me perturbó un poco. Yo no quería hacerle daño a Cali. Ella es mi mejor amiga y yo la quiero mucho, pero también quería ganarle.

11 Un día, después de la escuela, caminaba con Cali de regreso a casa.

—¿Hoy vas a entrenar? —le pregunté a mi amiga.

—Este año no estoy entrenando —me dijo.

—¿Por qué? —dije, algo molesta—. ¿Piensas que es tan fácil ganarme que no necesitas entrenar?

12 Cali comenzó a reírse. Yo la miraba muy seria y ofendida.

—¿Quieres ir a jugar al Bosque Espinoso? —al fin me atreví a preguntar.

—¿Al Bosque Espinoso? —me preguntó sorprendida—. ¿Estás segura?

—Sí —le dije, un poco nerviosa—. ¿Vamos?

13 Cali aceptó y nos dirigimos hacia el temido bosque. Estaba decidida: llevaría a cabo la idea de Lito.

14 Cali y yo comenzamos a jugar con la pelota. Por un momento, me divertí tanto que olvidé por qué la había llevado al bosque.

—¿Sabes por qué vine contigo a este bosque?

—No sé —le contesté—. Me imagino que querías jugar.

—¡Ja, ja, sí! —me dijo entre risas— Quería jugar contigo. Hace mucho que ya no pasamos tanto tiempo juntas. Me gusta jugar contigo, aunque sea en este Bosque Espinoso.

—A mí también me gusta pasar el tiempo contigo. Eres mi mejor amiga —le dije.

—¿Sabes por qué no entrené este año para la competencia? —me preguntó con una leve sonrisa—. Porque saltar debe ser divertido, sobre todo, si estoy saltando contigo.

15 En ese momento, sentí un gran alivio. Supe que nunca hubiese sido capaz de lastimar a mi amiga.

—Vamos a casa —le dije.

16 Desde ese día no volví a entrenar. Preferí dedicar mi tiempo a jugar con mi amiga Cali. Competir era importante, pero ya no estaba obsesionada con ganar. Sabía que cualquiera de las dos merecía ser una Real Rana Saltadora.

17 El día de la competencia llegó. Comenzamos a saltar con energía. Al finalizar nuestros saltos, Cali y yo nos tiramos en el suelo a reír. Tenía razón, ¡saltar es divertido! Y más cuando lo haces en compañía de una amiga.

18 ¿Saben? Otra vez llegué segunda. Pero está vez no me sentí molesta ni triste. Había hecho mi mayor esfuerzo. Simplemente, Cali saltó más rápido que yo. ¡Me sentía feliz por ella!

—Cali, vienes con nosotras a comer pizza, ¿verdad? —preguntó una de las otras ranas.

19 Mi mejor amiga me miró y sonrió.

—Tal vez el próximo año —les dijo, ante el asombro—. Esta vez, prefiero ir a comer helado con mi mejor amiga.

20 Cali me abrazó y caminamos hasta la heladería acompañadas de nuestras familias. En ese momento, entendí lo que quería decir mi padre.

Comprendo lo que leí

Discuss the selection with students. Then have them complete the activities on a separate sheet of paper.

1. ¿Por qué está triste Lola al comienzo del cuento?
   - a. Porque tiene que comer helado.
   - b. Porque tiene que entrenar.
   - (c.) Porque quedó en segundo lugar.

2. ¿Por qué no quería competir Lola contra Cali?
   - (a.) Porque era su mejor amiga.
   - b. Porque saltaba más rápido que ella.
   - c. Porque quería comer pizza.

3. ¿Qué hacía Cali para ganar?
   - a. Comía mucha pizza.
   - (b.) Entrenaba todos los días.
   - c. No jugaba con su amiga Lola.

4. ¿Cuál era el plan del primo de Lola?
   - (a.) que Cali se lastimara una pata en el bosque
   - b. que Cali no fuera amiga de Lola
   - c. que Cali ganara la competencia

5. ¿Qué es lo realmente importante para Cali y Lola?
   - a. ir a comer pizza juntas a Pizzarrana
   - b. ir a la heladería juntas
   - (c.) divertirse, jugar y pasar tiempo juntas

6. ¿Por qué crees que Cali decidió ir a comer helado con Lola, en lugar de ir a comer pizza con sus otras amigas? Critical Thinking

   Answers will vary.

Así se dice

For both pages, discuss the concepts in the boxes and be sure students understand the examples. Then have them complete the activities on a separate sheet of paper. Assist students as necessary. For **Así se dice,** have students read aloud the sounds as they complete the activities.

Las **expresiones idiomáticas** son frases que significan algo diferente de lo que dicen.

➤ El niño metió la pata cuando no hizo caso.

significado incorrecto: El niño puso la pierna en algún lado al no hacer caso.

significado correcto: El niño se equivocó al no hacer caso.

1. Escoge el significado de las expresiones idiomáticas subrayadas en las oraciones.

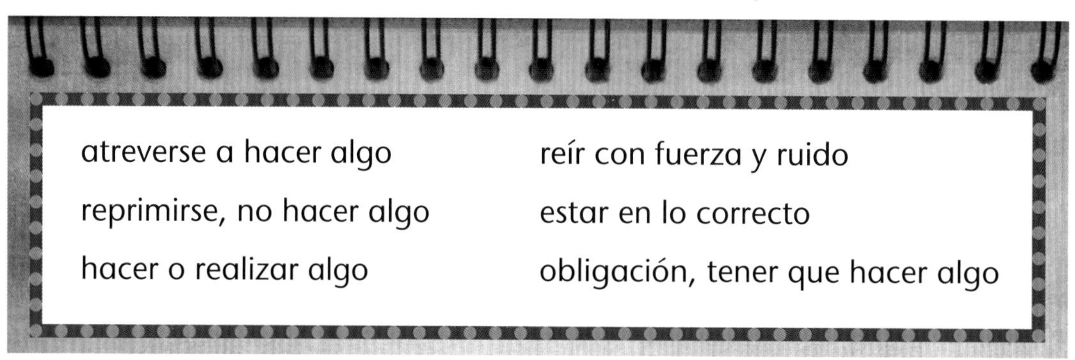

a. Le dije a Cali, <u>aguantando las ganas de gritar</u>. reprimirse, no hacer algo
b. <u>Llevaría a cabo</u> la idea de Lito. hacer o realizar algo
c. Supe que nunca hubiese <u>sido capaz</u> de lastimar a mi amiga. atreverse a hacer algo
d. <u>Tenía razón</u>, ¡saltar es divertido! estar en lo correcto
e. —¡Ja, ja! —<u>rió a carcajadas</u>. reír con fuerza y ruido
f. Este año <u>te tocará</u> comer helado. obligación, tener que hacer algo

2. Busca la palabra que significa lo mismo en la lectura. El número dice en qué segmento está la palabra.

a. territorio donde viven las ranas saltadoras (2) comarca
b. preparación para la competencia (9) entrenamiento
c. que tiene espinas (9) espinoso

3. Usa las palabras de la actividad anterior para completar las oraciones.

a. Había que ir con cuidado, porque el camino era espinoso .
b. Las ranas de la comarca participaban en la competencia.
c. Lola comenzó su entrenamiento para ganar el primer lugar.

Así se escribe

Recuerda que los **sustantivos colectivos** son nombres que hablan de un conjunto de personas, animales o cosas en singular.

1. Identifica los sustantivos colectivos en estas oraciones.

   a. A ella asistimos todas las ranas de la comarca. comarca

   b. Cali aceptó y nos dirigimos hacia el temido bosque. bosque

   c. Caminé hasta la heladería acompañada de mi familia. familia

El **acento** se usa para indicar la fuerza de la pronunciación. Hay palabras que cambian de significado dependiendo del acento.

➤ La niña **está** en su casa. **Ésta** es mi amiga.

2. Escoge la palabra que completa la oración.

   a. En el Bosque Espinoso había un (río/rió) profundo.

   b. La rana se (río/rió) de su amiga.

   c. En (mi/mí) escuela hacemos competencias de salto.

   d. A (mi/mí) no me gusta el helado de vainilla.

La **letra h** no tiene sonido. Por lo tanto, hay que memorizar qué palabras se escriben con **h**. Hay algunas palabras que cambian de significado si se escriben con o sin **h**.

➤ onda (ondulación) ➤ honda (profunda)

3. Escoge la palabra que completa la oración.

   a. En la competencia (hay/ay) ranas que saltan muy rápido.

   b. ¡(Hay/Ay), me lastimé la pata!

   c. Lola (ha/a) entrenado todo el año.

   d. De camino (ha/a) su casa, Lola se encuentra con su primo.

A escribir

Discuss with students different sports competitions and how friends who are in opposite teams can still be friends. Then have them write a paragraph on a separate sheet of paper. Remind them to use correct punctuation.

- Imagina que esta vez Lola ganó la competencia en lugar de Cali. ¿Qué crees que pasó? ¿Cómo acaba el cuento? Escribe un párrafo. Answers will vary.

Discuss with students the Aztecs, Mayans, and Tainos. You may want to show them a map of Mexico, Central America, and the Caribbean, and point out the regions where these indigenous groups lived. Then ask the following questions.

Antes de leer

¿Por qué los deportes son tan populares en el mundo?
Why are sports popular in the world?

En deportes con equipos, ¿cuántas personas forman el equipo? In team sports, how many players are in a team?

¿Qué deportes crees que jugaban los aztecas, mayas o taínos? What kind of sports do you think the Aztecs, Mayans, or Tainos played?

Detalle de un muro dentro de la cancha de pelota, Chichén Itzá, México

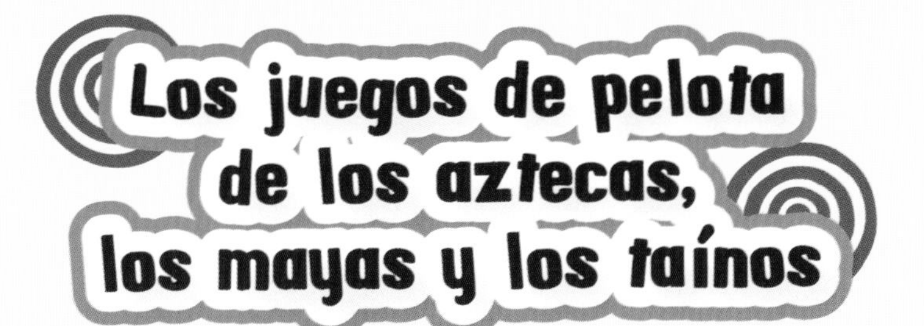

Los juegos de pelota de los aztecas, los mayas y los taínos

María Á Pérez

Have students read the selection. In order to help with comprehension, you may want to use reading strategies, such as echo reading, retell and summarize, and so on. Point out that the highlighted words are defined in the end glossary. Help students with unfamiliar words and structures, and guide them to decode verbs and verb tenses, as necessary.

1 Los deportes y las competencias deportivas son muy importantes para el ser humano. No sólo participan los jugadores, sino que el público también participa al asistir a los partidos y animar a su equipo favorito.

2 Esta costumbre de practicar deportes es muy antigua, ya que hace miles de años el ser humano participa en actividades deportivas. Los mayas del sur de México y América Central, los aztecas de México y los taínos del Caribe eran fanáticos del deporte.

3 En muchos de los deportes que jugamos hoy en día se usa una pelota o un balón. Los indígenas también usaban una pelota. Era de caucho, un material que proviene de la savia, o jugo, del árbol de caucho.

Aro por donde pasaban la pelota los jugadores.

El juego de pelota maya: "pitz"

Piedra con jeroglíficos mayas

4 Los mayas jugaban un juego de pelota al que llamaban "pitz", o "pok ta pok". En el *Popol Vuh*, el libro sagrado de los mayas, se habla de este juego. Además, los científicos han encontrado restos de pelotas de caucho y han descubierto algunas canchas. Se cree que este juego se comenzó a jugar hace 3,500 años en el sur de México.

5 En el juego de pelota maya, el número de jugadores variaba. A veces eran sólo dos, uno contra otro, y en ocasiones podían ser hasta once jugadores por equipo. La cancha tenía forma de i mayúscula (I) y a ambos lados se sentaban los espectadores.

6 El juego consistía en lanzarse una pelota de caucho de un lado a otro de la cancha. Podían pegarle con las caderas, las rodillas y los brazos, pero no con las manos. Como la pelota era muy pesada, los jugadores debían ser fuertes y tener mucha habilidad para poder devolver la pelota.

7 Con el tiempo el juego se hizo más difícil. Se añadieron unos aros de piedra a unos veinte pies de altura en las paredes laterales de la cancha. Si un jugador lograba pasar la pelota por el aro, su equipo ganaba automáticamente. Esto no ocurría mucho.

8 La cancha de pelota maya más grande que se ha descubierto es la de Chichén Itzá, en la península de Yucatán al sur de México. ¡Esta cancha es casi tan grande como un campo de fútbol americano!

Cancha de pelota en Chichén Itzá, México

El juego de pelota azteca: "ulama"

9 Los aztecas, que vivían en lo que hoy es México, también jugaban a la pelota. Era un juego parecido al de los mayas. El juego de pelota azteca se conocía por los nombres de "ulama" o "tlachtli".

10 No sabemos todas las reglas de este juego, pero aún hoy en día hay pequeños grupos de jugadores en el norte del país que siguen jugando al "ulama".

11 En este juego, la pelota es de caucho, del tamaño de una pelota de volibol, ¡pero mucho más pesada! Pesa alrededor de nueve libras, así que cuando se lanza a gran velocidad hay que estar muy preparado, y ser muy fuerte, para poder aguantar el golpe y devolver la pelota sin caerse.

12 Debido al peso de la pelota, los jugadores usaban protecciones en distintas partes del cuerpo. Podían pegarle a la pelota con los codos, las rodillas y las caderas, pero no con las manos. Los jugadores debían devolver la pelota al otro equipo antes de que ésta "rebotara" dos veces, es decir, que se saliera de la cancha.

13 Este juego se jugaba en una cancha (en forma de I) que los aztecas llamaban "tlachtli". Los arqueólogos han descubierto cientos de estas canchas por todo México, así que por eso se cree que este deporte era muy popular.

14 Cuando los primeros españoles que llegaron a México vieron un partido de "ulama", les impresionó tanto que llevaron a un grupo de jugadores a España para que jugaran ante el rey.

El juego de pelota taíno: "batú"

15 Los taínos eran los pobladores de las Antillas Mayores, es decir, Cuba, La Española (República Dominicana y Haití), Jamaica y Puerto Rico. Los taínos acostumbraban reunirse en la plaza principal del pueblo, llamada "batey". En esta plaza tenían lugar las ceremonias religiosas, las actividades sociales y un juego de pelota llamado "batú".

16 La pelota que utilizaban los taínos era de raíces y plantas, y quizás también de caucho, porque rebotaba muy bien. Al igual que en el juego de pelota maya y azteca, en el "batú" jugaban dos equipos. Pero había una diferencia importante: en el juego del "batú" a veces participaban mujeres. También cada equipo podía tener hasta treinta jugadores.

17 Los jugadores tenían que mantener la pelota en el aire. Podían pegarle con las caderas, las piernas, los brazos, los hombros y la cabeza, pero no con las manos. Los jugadores debían devolver la pelota de un lado a otro del campo de juego sin dejarla caer.

18 Deportes como el "batú", el "ulama" y el "pitz" muestran que, desde la antigüedad, el ser humano ha participado en actividades deportivas y ha inventado juegos para divertirse.

Cancha de pelota, Parque Ceremonial Indígena Caguana, Puerto Rico

Comprendo lo que leí

Discuss the selection with students. Then have them complete the activities on a separate sheet of paper.

1. ¿En dónde vivían los mayas?

   a. en el norte de México
   (b.) en el sur de México y América Central
   c. en las Antillas Mayores

2. ¿Con qué parte del cuerpo no se podía tocar la pelota?

   a. con las rodillas
   b. con las piernas
   (c.) con las manos

3. ¿En qué juego podían jugar hasta sólo dos jugadores?

   (a.) en el pitz
   b. en el ulama
   c. en el batú

4. ¿Cómo se llamaba la plaza principal donde los taínos jugaban pelota?

   a. la cancha
   (b.) el batey
   c. el batú

5. ¿En qué juego de pelota participaban a veces las mujeres?

   (a.) en el batú
   b. en el pitz
   c. en el ulama

6. ¿Cuál crees que es la intención de la autora de esta lectura: informar, explicar, persuadir o entretener? Explica. Critical Thinking

   Informar y explicar.

Así se dice

For both pages, discuss the concepts in the boxes and be sure students understand the examples. Then have them complete the activities on a separate sheet of paper. Assist students as necessary. For **Así se dice**, have students read aloud the sounds as they complete the activities.

Las **palabras agudas** son las que llevan la fuerza de la pronunciación en la última sílaba.

➤ reloj (re-**loj**) feliz (fe-**liz**) hacer (ha-**cer**)

Las palabras agudas llevan acento si terminan con las letras **n**, **s** o **vocal**.

➤ camión (ca-**mión**) Andrés (An-**drés**) viajó (via-**jó**)

1. Identifica las palabras agudas.

a. balón
b. batú
c. siguen
d. material
e. ulama
f. además
g. tener
h. fuertes

2. Escoge la definición de la palabra subrayada en estas oraciones.

a. Los deportes son muy importantes para el ser humano.
persona existir

b. El público también participa al asistir a los partidos.
conocido por todos espectadores

c. Cuando los primeros españoles vieron un partido se impresionaron.
roto competencia

d. No sabemos todas las reglas de este juego.
normas instrumentos para medir

e. Los jugadores debían devolver la pelota al otro lado del campo de juego.
tierra para cultivar terreno de juego

3. Busca la palabra que significa lo mismo en la lectura. El número dice en qué párrafo está la palabra.

a. también significa pelota (3) balón
b. científicos que estudian las civilizaciones (13) arqueólogos
c. grupo de islas en el Caribe (15) Antillas Mayores

4. Usa las palabras de la actividad anterior para completar las oraciones.

a. Los arqueólogos investigan las culturas indígenas.
b. Los jugadores devolvían el balón al otro lado.
c. El batú se jugaba en las Antillas Mayores .

Así se escribe

Las **letras** en español a veces tienen sonidos parecidos, pero se escriben con letras diferentes.

➤ **ll** / **y** = a**ll**á / **y**o

1. Completa las palabras incompletas en estas oraciones con una *ll* o con una *y*.
   a. El juego ma y a se ll amaba pitz.
   b. La cancha era como una I ma Y úscula.
   c. Podían pegarle a la pelota con las rodi ll as.

Recuerda que los **sustantivos colectivos** son nombres que hablan de un conjunto de personas, objetos o animales en singular.

2. Identifica los sustantivos colectivos en estas oraciones.
   a. El (público) también participa al asistir a los partidos.
   b. Les impresionó tanto que llevaron a un (grupo) de jugadores a España.
   c. Cada (equipo) podía tener hasta treinta jugadores.

Las **palabras de transición** son palabras que ayudan a conectar oraciones, ideas, o párrafos. Algunas palabras de transición son: **ya que**, **porque**, **así que**, **sino que, es decir**.

➤ No solo participan los jugadores, **sino que** el público también.

➤ Es una costumbre antigua, **ya que** hace miles de años había deportes.

3. Completa con las oraciones con palabras de transición.

ya que sino que es decir

   a. Se han encontrado muchas canchas de pelota en México, es decir , que era un juego muy popular.
   b. Los jugadores tenían que protegerse, ya que la pelota era muy pesada.
   c. En México no se juega solamente pelota, sino que también se juega fútbol.

A escribir

Discuss with students the importance of sports in human societies. Have them compare the modern version of soccer or rugby with the one played by the Mayans, Aztecs, and Tainos. Then have them write a paragraph on a separate sheet of paper. Remind them to use correct punctuation.

- ¿Cuál es tu deporte favorito? ¿Qué sabes sobre la historia de ese deporte? ¿Cómo se juega? ¿Dónde es más popular? Escribe un párrafo. Answers will vary.

Discuss with students the superheroes they know from books, movies, or comic strips. Point out that superheroes always have special powers. Then ask the following questions.

Antes de leer

¿Quién es tu superhéroe favorito?
Who is your favorite superhero?
¿Cómo es y qué poderes tiene?
What is s/he like and what powers does s/he have?
¿Qué hace tu superhéroe? ¿Siempre tiene éxito?
What does your superhero do? Is s/he always successful?

Supersapo

Roy Berocay
fragmento

Have students read the selection. In order to help with comprehension, you may want to use reading strategies, such as echo reading, retell and summarize, and so on. Point out that the highlighted words are defined in the end glossary. Help students with unfamiliar words and structures, and guide them to decode verbs and verb tenses, as necessary.

1 El sapo Ruperto soñaba con ser un superhéroe, un supersapo capaz de volar y de ganar siempre a los malos.

—Los superhéroes necesitan un traje con una gran Z en el pecho —decía Ruperto mientras juntaba pedazos de tela azul y roja que había encontrado por ahí.

2 Horas después, cuando los demás sapos cantaban en la charca, oyeron una voz muy fuerte:

—¡A luchar por la justicia! —gritó la voz acompañada de un ruido de ramas rotas.

3 Los sapos corrieron asustados y se escondieron. Instantes después caía, en medio de la charca, una cosa roja y azul.

—¡Por la justicia! —repitió la voz débilmente, intentando mantenerse a flote en la charca.

—¡Un sapo en calzoncillos! —gritó horrorizada una rana.

4 Ruperto Supersapo salió a la orilla, se colocó la capa roja sobre su traje azul y, tratando de poner voz de superhéroe, dijo:

—Ha sido un vuelo terrible, pero nada podrá impedir mi misión.

5 Los sapos se miraban mientras la rana insistía:

—¡Una misión en calzoncillos! ¡Sinvergüenza!

—¿Por qué tienes una Z ahí? —preguntaron algunos sapos.

—¡Es el símbolo de Supersapo! —contestó Ruperto.

—¡Miren! ¡Dice Supersapo con Z! —decían riéndose los sapos pequeños.

—He venido a salvarlos de los malos —dijo Ruperto—. ¿Dónde están?

6 Todos miraron asombrados alrededor. No había malos de los que hubiera que salvarse.

—No puede ser —protestó Ruperto—. Para que haya héroes tiene que haber malos. Busquen un malo o si no, se quedarán sin Supersapo.

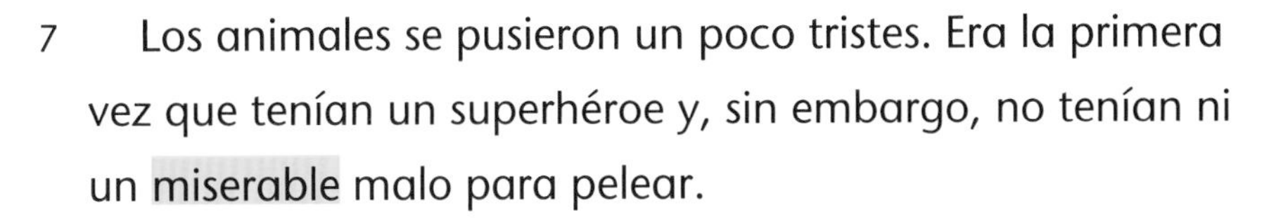

7 Los animales se pusieron un poco tristes. Era la primera vez que tenían un superhéroe y, sin embargo, no tenían ni un miserable malo para pelear.

—Bueno…, yo puedo hacer de malo —se ofreció un sapo gordo y grandote—. ¿Qué tengo que hacer?

—Lo primero —dijo Ruperto—, es poner cara de malo.

8 El sapo gordo torció la boca y todos se echaron a reír. Luego probó una y otra vez hasta que le salió una cara de malo.

—Bien —dijo Ruperto—. Ahora tienes que hacer algo muy, pero que muy malo.

9 El sapo gordo, esforzándose por mantener su cara de malvado, miró a los demás. ¿Qué podía hacer para ser un verdadero recontrarchimalvado? Entonces tuvo una idea. Respiró hondo, tomó impulso y empezó a correr como un rinoceronte hacia Ruperto.

—¡Atrás, villano! ¡Veo que tienes miedo! —decía Ruperto mientras levantaba una pata—. ¡Detente!

10 Pero el sapo gordo se lo llevó por delante y lo hizo volar por los aires hasta caer en medio de la charca. Y encima, en plena caída, Ruperto perdió los calzoncillos.

11 Las risas de los sapos se escucharon por todo el campo. Mientras, Supersapo decía:

—¡Cáspita! ¡Creo que este trabajo de superhéroe es demasiado peligroso para mí!

Comprendo lo que leí

Discuss the selection with students. Then have them complete the activities on a separate sheet of paper.

1. ¿Por qué quería Ruperto ser un superhéroe?
   - a. Porque quería tener una capa.
   - b. Porque quería justicia.
   - (c.) Porque quería volar y ganarle a los malos.

2. ¿Por qué se horrorizó una rana al ver a Ruperto?
   - (a.) Porque Ruperto estaba en calzoncillos.
   - b. Porque Ruperto los asustó.
   - c. Porque Ruperto cumplía una misión.

3. ¿Por qué se pusieron tristes los animales?
   - a. Porque no querían que Ruperto fuera un superhéroe.
   - (b.) Porque tenían a un superhéroe, pero no tenían a nadie malo.
   - c. Porque al sapo gordo no le salía una cara de malo.

4. Según Ruperto, ¿qué tiene que haber para que haya superhéroes?
   - a. tela para un traje de superhéroe
   - (b.) malos para pelear
   - c. sapos asustados

5. ¿Qué le pasó a Ruperto cuando trató de detener al sapo malvado?
   - a. Voló por los aires y cayó sobre el sapo malvado.
   - b. Cayó sobre el sapo malvado y perdió los calzoncillos.
   - (c.) Voló por los aires, cayó en la charca, y perdió los calzoncillos.

6. ¿Por qué crees que el traje de Ruperto tenía una Z en lugar de una S? Critical Thinking

   Answers will vary. Possible answer: Porque Ruperto creía que la palabra "supersapo" se escribía con "z".

For both pages, discuss the concepts in the boxes and be sure students understand the examples. Then have them complete the activities on a separate sheet of paper. Assist students as necessary. For **Así se dice**, have students read aloud the sounds as they complete the activities.

Así se dice

Recuerda que las **palabras agudas** son las que llevan la fuerza de la pronunciación en la última sílaba.

Las palabras agudas llevan acento si terminan con las letras **n**, **s** o con una **vocal**.

1. Identifica las palabras agudas.

a. (capaz)	d. entonces	g. (probó)
b. sapos	e. (misión)	h. caída
c. (repitió)	f. (quedarán)	i. (después)

Las **palabras compuestas** son palabras formadas por la unión de dos o más palabras.

- quehacer: que + hacer
- rompecabezas: rompe + cabezas
- recontraarchimalvado = recontra + archi + malvado
- colifor = col + y + flor

2. Separa las palabras que forman las palabras compuestas.

a. superhéroe super + héroe	e. girasol gira + sol
b. limpiabotas limpia + botas	f. malhumor mal + humor
c. supersapo super + sapo	g. sabelotodo sabe + lo + todo
d. sinvergüenza sin + vergüenza	h. bienvenida bien + venida

3. Busca la palabra que significa lo mismo en la lectura. El número dice en qué segmento está la palabra.

a. charco grande de agua (2) charca
b. que está asustada, espantada (3) horrorizada
c. evitar o detener algo (4) impedir
d. profundamente (9) hondo

4. Usa las palabras de la actividad anterior para completar las oraciones.

a. Nadie pudo impedir que Ruperto cayera en la charca.
b. No podían cruzar el río porque era muy hondo.
c. La rana gritaba, horrorizada por lo que veía.
d. Las ranas y los sapos vivían tranquilamente en su charca.

Así se escribe

Los **homófonos** son palabras que suenan igual, pero se escriben diferente y tienen distintos significados. La oración ayuda a saber cuál es el significado de la palabra.

- Laura **echa** la basura en el cubo. (tira, se deshace de)
- Laura tiene **hecha** la tarea desde ayer. (completada, terminada)

1. Escoge el significado de la palabra subrayada en estas oraciones.

   a. El sapo grande tuvo una idea.
   caño (se le ocurrió)

   b. Por primera vez tenían un superhéroe.
   (ocasión) el verbo ver

   c. El agua corre por un tubo.
   (caño) se le ocurrió

   d. El sapo grande corrió hacia Ruperto.
   (en dirección a) hasta

Los **mandatos** se usan para indicar órdenes, en las formas tú, usted y ustedes.

- **tú**: ¡Ven aquí!
- **usted**: No corra.
- **ustedes**: Coman verduras.

2. Sustituye la frase subrayada en estas oraciones con un mandato.

   a. Tú debes comer lentamente. Come lentamente.

   b. Usted debe comer lentamente. Coma lentamente.

   c. Ustedes deben comer lentamente. Coman lentamente.

   d. Tú debes caminar deprisa. Camina deprisa.

   e. Usted debe caminar deprisa. Camine deprisa.

   f. Ustedes deben caminar deprisa. Caminen deprisa.

A escribir

Discuss with students the reasons why Ruperto wanted to be a superhero. Encourage them to brainstorm being superheroes. What powers would they have? What would they do? Then have them write a paragraph on a separate sheet of paper. Remind them to use correct punctuation.

- Imagina que eres un superhéroe. ¿Cómo es tu traje? ¿Qué poderes tienes? ¿Cómo ayudas a tu comunidad? ¿Qué enemigos tienes? Escribe un párrafo.

Answers will vary.

Discuss with students their favorite kind of art, painters they know, and paintings they like. Point out the many mediums used in art (crayons, acrylic and oil paint, charcoal, color pencils, and so on). Then ask the following questions.

Antes de leer

¿Has visto una pintura grande? ¿Cuál fue el tamaño?
Have you ever seen a large painting? How big was it?
¿Has visto un muro pintado? ¿Qué tenía?
Have you seen a wall that has been painted? What did it have?
¿Qué cosas puedes ver en las pinturas de estas páginas?
What do you see in the paintings on these pages?

"Sueño de una tarde dominical en la Alameda Central" (1948), mural de Diego Rivera, Museo Mural Diego Rivera, México D.F.

Los Tres Grandes

María Á Pérez

Have students read the selection. In order to help with comprehension, you may want to use reading strategies, such as echo reading, retell and summarize, and so on. Point out that the highlighted words are defined in the end glossary. Help students with unfamiliar words and structures, and guide them to decode verbs and verb tenses, as necessary.

1 Cuando oímos la palabra "inventos", nos vienen a la mente objetos como la computadora y el teléfono. También pensamos en grandes obras de ingeniería como los rascacielos, los puentes y las pirámides. Sin embargo, también hay inventos e innovación en las artes.

2 A principios del siglo veinte comenzó en México un movimiento artístico llamado el *muralismo mexicano.* Se conoce como "muralismo" porque los pintores pintan en muros, o paredes. Tres pintores mexicanos, conocidos como "Los Tres Grandes", popularizaron esta técnica de pintura.

3 En el muralismo mexicano, las pinturas se hacen en edificios del gobierno, universidades, escuelas, hospitales y otros lugares. Son pinturas muy grandes y, en muchos casos, la pintura ocupa todas las paredes del edificio.

4 En este estilo de pintura se usan colores muy vivos para mostrar escenas que cuentan la historia del país o de un grupo de personas. Cada mural es como un libro ilustrado gigante porque nos cuenta una historia con imágenes.

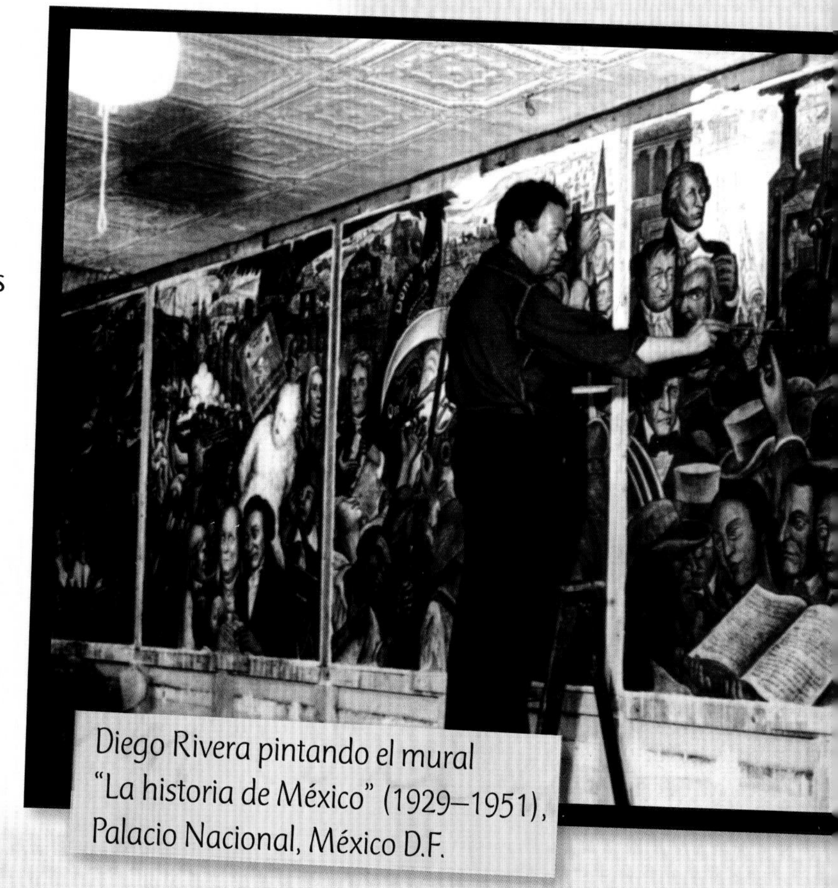

Diego Rivera pintando el mural "La historia de México" (1929–1951), Palacio Nacional, México D.F.

Diego Rivera

5 El pintor más conocido del muralismo mexicano es Diego Rivera (1886–1957). Su nombre completo era Diego María Concepción Juan Nepomuceno Estanislao de la Rivera y Barrientos Acosta y Rodríguez, pero como nadie podía recordar un nombre tan largo, era conocido como Diego Rivera.

6 Dicen que le gustaba tanto el arte que comenzó a pintar a los tres años, antes de aprender a escribir. A los diez años empezó sus estudios en la Academia de Arte San Carlos en la Ciudad de México. Como tenía mucho talento para la pintura, el gobernador del estado de Veracruz le pagó un viaje a Europa para que siguiera con sus estudios de arte en España y Francia.

7 Al terminar sus estudios de pintura en Europa, Diego Rivera regresó a México. Allí puso en práctica lo que había aprendido y sus propias ideas para crear murales. El primer mural que pintó fue en la Escuela Nacional Preparatoria en la Ciudad de México en 1922. También pintó murales en el Palacio Nacional, que es el edificio del gobierno de México.

8 Entre 1930 y 1934, el famoso pintor estuvo en Estados Unidos. Rivera pintó varios murales en San Francisco, New York y Detroit. Su fama se extendió por todo el mundo y el arte de pintar murales comenzó a propagarse.

"Detroit Industry" mural de Diego Rivera, mural pintado entre 1932–1933, Detroit Institute of Art

José Clemente Orozco

9 Otro de los muralistas mexicanos del grupo de "Los Tres Grandes" fue José Orozco (1883–1949). Orozco nació en el estado de Jalisco, pero se mudó con su familia a la Ciudad de México cuando era niño.

10 Orozco se interesó en la pintura porque, cuando iba a la escuela, pasaba enfrente de la tienda de José Guadalupe Posada, un ilustrador muy conocido. Posada dibujaba caricaturas que luego publicaba en revistas y periódicos. El niño José Orozco lo observaba trabajar.

Mural de Clemente Orozco, pintado entre 1936–1939, Instituto Cultural de Cabañas, Guadalajara, México

11 Tanto le gustaba el arte y el dibujo a Orozco que en las noches empezó a asistir a clases a la Academia de Arte San Carlos. Sin embargo, su papá no quería que estudiara arte, así que Orozco dejó sus estudios de arte y estudió agronomía. Poco después, Orozco tuvo un accidente muy grave en el que perdió la mano izquierda. Entonces, decidió regresar a la academia de arte a estudiar pintura.

12 Cuando Orozco terminó sus estudios, trabajó dibujando caricaturas para varias revistas mexicanas. También diseñó carteles para películas. Después, en 1922, comenzó a pintar murales en México, al igual que Diego Rivera.

13 De 1927 a 1934, Orozco vivió en Estados Unidos y pintó varios murales en New York, California y New Hampshire. Orozco también continuó dibujando caricaturas e ilustrando libros.

Mural de Clemente Orozco, Instituto Cultural de Cabañas, Guadalajara, México

José David Alfaro Siqueiros

"El pueblo a la Universidad y la Universidad al pueblo" (1952–1956), mural de Alfaro Siqueiros en el edificio de la rectoría de Ciudad Universitaria (UNAM), México D. F.

14 José Siqueiros (1896–1974) nació en el norte de México, en el estado de Chihuahua. Su madre murió cuando él era muy pequeño y su padre lo envió a vivir con sus abuelos. Después, Siqueiros y sus hermanos se mudaron a Ciudad de México. Allí, Siqueiros, al igual que Diego Rivera y José Orozco, estudió en la Academia de Arte San Carlos.

15 Del 1910 al 1920 tomó lugar la Revolución Mexicana. Fue una guerra civil en México. Siqueiros interrumpió sus estudios de arte para ir a luchar en esa guerra, donde fue nombrado capitán.

16 A Siqueiros le gustaba tanto la pintura que, cuando terminó la guerra, volvió a pintar. Siqueiros fue muy conocido por usar materiales diferentes a los que usaban otros pintores. Por ejemplo, usó pintura de automóviles en sus cuadros y también pintó sobre metal.

"La marcha de la humanidad" de Alfaro Siqueiros (detalle), (1964), Polyforum Cultural Siqueiros, México D.F.

17 Una de las últimas obras de Siqueiros fue el Polyforum Cultural Siqueiros. En este edificio, Siqueiros pintó el mural "La marcha de la humanidad", que es el mural más grande del mundo. El edificio tiene, además, unas formas muy extrañas y sus paredes están llenas de murales. Fue algo muy diferente a todo lo que existía hasta ese momento en la Ciudad de México.

18 "Los Tres Grandes" de México crearon una nueva forma de arte con grandes murales en edificios públicos. El estilo de pintura de estos tres artistas no sólo influenció el arte en México, sino en todo el mundo.

Comprendo lo que leí

Discuss the selection with students. Then have them complete the activities on a separate sheet of paper.

1. ¿Qué es el muralismo mexicano?
   - (a.) un movimiento artístico
   - b. un movimiento tecnológico
   - c. un movimiento de inventos

2. ¿Por qué llamaban a Rivera, Orozco y Siqueiros, "Los Tres Grandes"?
   - a. Porque pintaban pinturas en edificios.
   - (b.) Porque popularizaron el muralismo.
   - c. Porque pintaban con colores vivos.

3. ¿Quién pintó los murales del Palacio Nacional en México?
   - a. David Siqueiros
   - (b.) Diego Rivera
   - c. José Orozco

4. ¿Quién pintó caricaturas para revistas e ilustró libros?
   - a. David Siqueiros
   - b. Diego Rivera
   - (c.) José Orozco

5. "La marcha de la humanidad" es...
   - a. sobre la Revolución Mexicana.
   - b. una de las primeras obras de David Siqueiros.
   - (c.) el mural más grande del mundo.

6. ¿En qué se parecen los murales de "Los Tres Grandes"? Critical Thinking

   Son pinturas muy grandes que están en edificios públicos. Son murales que cuentan la historia de un país o de un grupo de personas. Usan colores vivos.

Así se dice

For both pages, discuss the concepts in the boxes and be sure students understand the examples. Then have them complete the activities on a separate sheet of paper. Assist students as necessary. For **Así se dice**, have students read aloud the sounds as they complete the activities.

Los **sufijos** son un grupo de letras que se ponen al final de una palabra. Estas letras cambian el significado de la palabra o crean una palabra nueva. Hay algunos sufijos que indican una profesión u ocupación.

- **–or / –ora**: el profes**or**, la profes**ora**
- **–ero /–era**: el enferm**ero**, la enferm**era**
- **–ista**: el pian**ista**, la pian**ista**

1. Identifica las profesiones u ocupaciones en estas oraciones.
   a. El gobernador del estado de Veracruz le pagó un viaje a Europa.
   b. Otro de los muralistas del grupo fue José David Alfaro Siqueiros.
   c. Orozco pasaba enfrente de la tienda de un conocido ilustrador.
   d. Orozco también fue caricaturista.

2. Escribe la profesión u ocupación. Usa el diccionario.
   a. mujer que trabaja en la ingeniería ingeniera
   b. hombre que trabaja con la electricidad electricista
   c. mujer que se dedica a escribir escritora
   d. hombre que se dedica al diseño diseñador
   e. músico que toca el violín violinista
   f. persona que trabaja en una oficina oficinista

3. Busca la palabra que significa lo mismo en la lectura. El número dice en qué párrafo está la palabra.
   a. edificios muy altos (1) rascacielos
   b. aptitud o destreza (6) talento
   c. dibujos que exageran las características de personas (10) caricaturas

4. Usa las palabras de la actividad anterior para completar las oraciones.
   a. Los muralistas mexicanos tenían mucho talento.
   b. A Orozco también se le conoce por sus caricaturas.
   c. En New York hay muchos rascacielos.

Así se escribe

Recuerda que el **acento** se usa para indicar la fuerza de la pronunciación. Hay palabras que cambian de significado dependiendo del acento.

- peso = moneda
- pesó = pasado del verbo pesar
- bebe = presente del verbo bebe
- bebé = niño recién nacido

1. Escoge la palabra que completa la oración.

   a. Hoy yo (llego / llegó) a la escuela temprano.
   b. El muralismo (llego / llegó) a todo el mundo.
   c. Orozco se (mudo / mudó) a la Ciudad de México.
   d. El niño es (mudo / mudó), no puede hablar.
   e. Ella (termino / terminó) la tarea sobre Diego Rivera.
   f. Mañana (termino / terminó) la lectura.

La terminación de los verbos indica el tiempo. **Pasado** es el tiempo antes del momento en que se habla. **Presente** es el momento en que se habla. **Futuro** es el tiempo después del momento en que se habla.

- **pasado**: Yo **pinté** un mural.
- **presente**: Yo **pinto** un mural.
- **futuro**: Yo **pintaré** un mural.

2. Indica si la oración está en el pasado o el futuro.

   a. Nosotros recordaremos a los muralistas. futuro
   b. El muralismo comenzó en México. pasado
   c. El arte siempre será importante. futuro
   d. Orozco tuvo un accidente. pasado

A escribir

Discuss with students the similarities and differences in the murals of the three painters. Review the common themes of the murals: they are painted on public buildings, they are large, they depict historical themes, they have lively colors. Then have them write a paragraph on a separate sheet of paper. Remind them to use correct punctuation.

- Imagina que eres un muralista. ¿En qué lugar de tu comunidad te gustaría pintar un mural? ¿Qué representarías en tu mural?¿Qué personas de tu comunidad pintarías? Escribe un párrafo. Answers will vary.

Discuss with students how food is an important part of many celebrations in the United States and other countries in the world. Then ask the following questions.

Antes de leer

¿Qué feriados celebras con comidas especiales?
Which holidays do you celebrate by eating special foods?
¿Cuál de esos feriados es tu favorito? ¿Por qué?
Which of those holidays is your favorite? Why?
¿Cómo celebras ese día?
How do you celebrate that holiday?

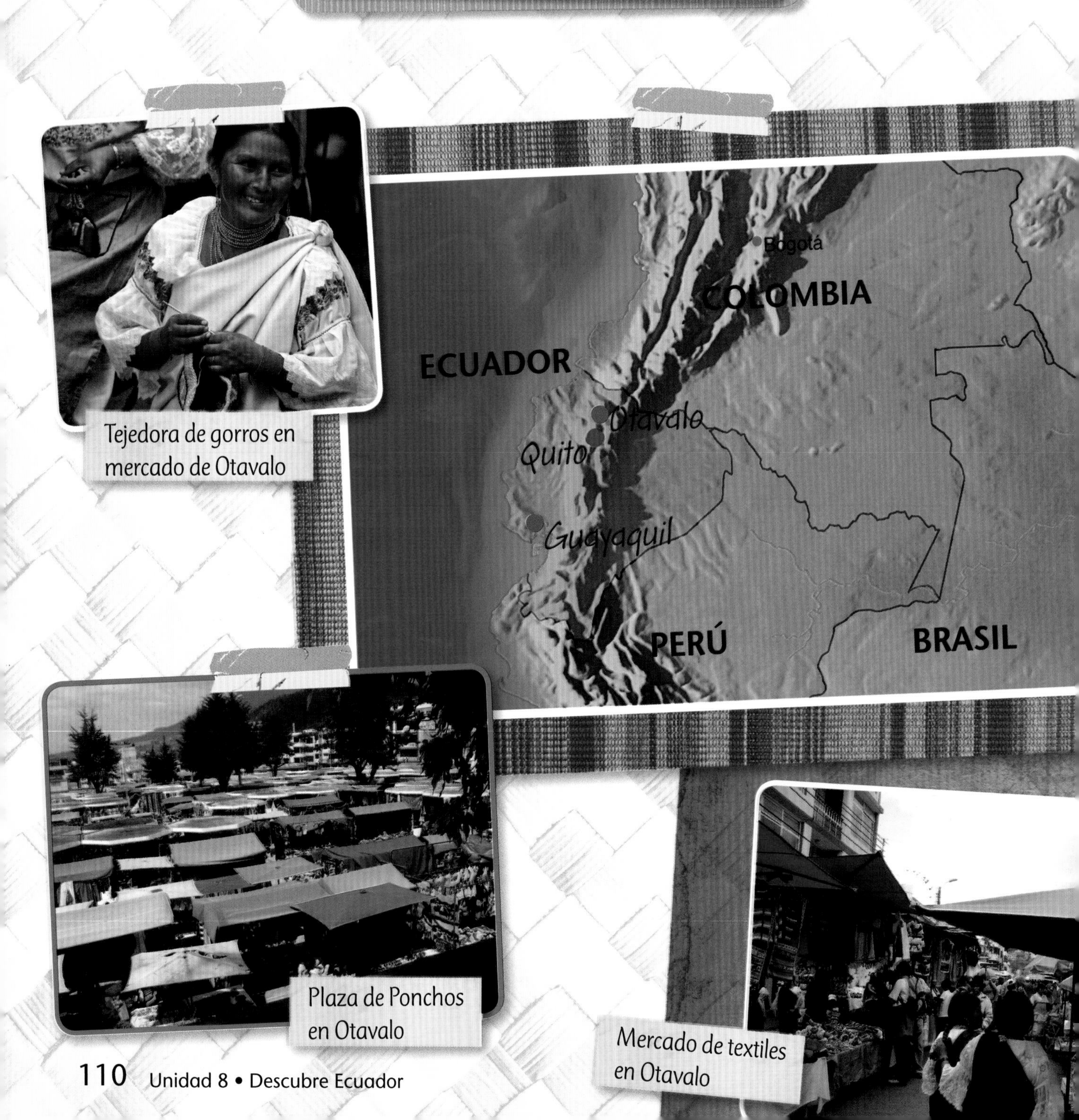

Tejedora de gorros en mercado de Otavalo

Plaza de Ponchos en Otavalo

Mercado de textiles en Otavalo

El mercado y las fiestas de Otavalo

María Á Pérez

Have students read the selection. In order to help with comprehension, you may want to use reading strategies, such as echo reading, retell and summarize, and so on. Point out that the highlighted words are defined in the end glossary. Help students with unfamiliar words and structures, and guide them to decode verbs and verb tenses, as necessary.

1 A dos horas al norte de Quito, la capital de Ecuador, se encuentra la pequeña ciudad de Otavalo. Esta ciudad es famosa por su mercado, sus tradiciones indígenas y la Fiesta del Yamor, que se celebra a comienzos de septiembre.

2 Antes de la llegada de los españoles a Ecuador, los indígenas de Otavalo ya eran conocidos en toda la región por su agricultura y sus textiles de lana. Estos indígenas cultivaban muchos alimentos en los valles y usaban la lana de las llamas y de las alpacas para hacer su ropa. Los incas, otro pueblo indígena de América del Sur, querían tener muchas tierras y tomaron Otavalo después de muchos años de guerra con los otavaleños.

Puesto de textiles en Otavalo

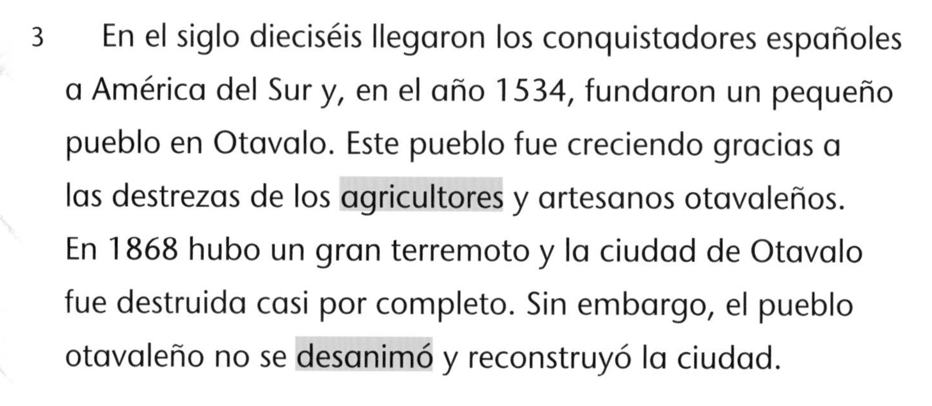

3 En el siglo dieciséis llegaron los conquistadores españoles a América del Sur y, en el año 1534, fundaron un pequeño pueblo en Otavalo. Este pueblo fue creciendo gracias a las destrezas de los agricultores y artesanos otavaleños. En 1868 hubo un gran terremoto y la ciudad de Otavalo fue destruida casi por completo. Sin embargo, el pueblo otavaleño no se desanimó y reconstruyó la ciudad.

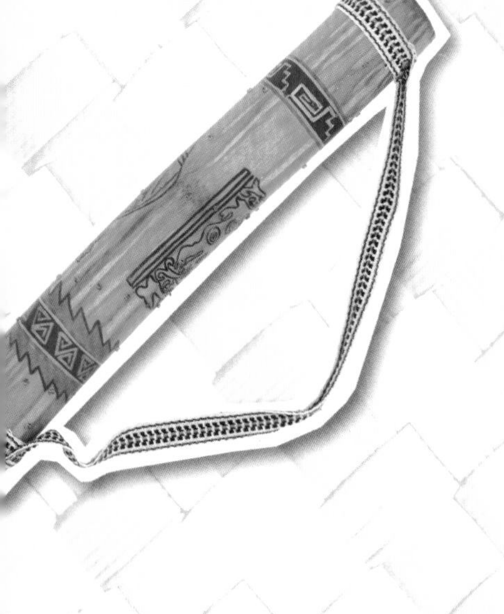

4 Hoy día la ciudad de Otavalo tiene uno de los mercados más grandes de América del Sur. Este mercado está localizado en la Plaza de Ponchos. El día de más actividad es el sábado, pero abre toda la semana. El mercado es especialmente famoso por la ropa y los textiles de lana, como por ejemplo: ponchos, blusas, bufandas, gorros, mantas y tapices.

5 Además de textiles, en el mercado de Otavalo hay bolsos y calzado de cuero, cerámicas, artesanías de madera y hasta instrumentos musicales. También hay puestos de venta de comida, donde se pueden comprar las frutas y verduras que se cultivan en esa zona del país.

Puesto de venta de comida

Turista comprando gorros de lana, Plaza de Ponchos, Otavalo

6 Otavalo también es conocido por una de las celebraciones más famosas de Ecuador: la Fiesta del Yamor. Esta fiesta se celebra en los primeros días de septiembre, cuando se recolecta el maíz. Es un festival para dar gracias por los alimentos.

7 La Fiesta del Yamor comienza de noche con el "pregón", que es un anuncio para avisar a todos que ya empieza la fiesta. Después del anuncio hay un desfile de carrozas acompañadas de bandas musicales y bailarines. Durante una semana los otavaleños y miles de visitantes celebran la abundancia de la cosecha de maíz con fuegos artificiales, música y bailes.

Vista parcial de puestos de comida en mercado

Vendedoras de maíz en mercado de Otavalo

El redondel de los danzantes, en Otavalo

8 Como esta es una celebración para dar gracias por los alimentos, también hay mucha comida en la Fiesta del Yamor. Los asistentes pueden disfrutar del plato típico: carne con mote (maíz hervido), papas, ají (chile) y empanadas de queso o de carne. La papa, el maíz y el ají son alimentos del continente americano que los diferentes pueblos indígenas de la zona han cultivado por miles de años.

Fiesta del Yamor en Otavalo

9 También se celebran eventos deportivos durantes la Fiesta del Yamor. Hay una competencia de natación en el lago San Pablo. Los participantes tienen que atravesar un gran lago nadando. Las aguas del lago son muy frías y, para poder soportar las temperaturas, los nadadores se untan grasa en el cuerpo.

10 Otavalo ha sido, desde hace miles de años, una ciudad importante para la venta de productos y la agricultura. Esas tradiciones continúan hoy en día a través de su mercado y de sus fiestas. Por eso Otavalo es uno de los lugares favoritos de los turistas que visitan Ecuador.

Mercado de artesanías en Otavalo

Mujer bailando con traje típico de Ecuador

Comprendo lo que leí

Discuss the selection with students. Then have them complete the activities on a separate sheet of paper.

1. ¿Qué se celebra en septiembre en la ciudad de Otavalo?
   a. la fundación de Otavalo
   b. la reconstrucción de la ciudad
   (c.) la Fiesta del Yamor

2. ¿De qué material están hechos los ponchos de Otavalo?
   (a.) de lana
   b. de mantas
   c. de cuero

3. ¿Cómo comienza la Fiesta del Yamor?
   (a.) con un pregón
   b. con fuegos artificiales
   c. con una competencia

4. ¿Cuánto tiempo dura la Fiesta del Yamor?
   a. el mes de septiembre
   (b.) una semana
   c. una noche

5. ¿Qué es el "mote"?
   a. una empanada de carne
   b. un tipo de papa
   (c.) maíz hervido

6. Después de leer sobre Otavalo, ¿por qué crees que Otavalo es una ciudad especial? Critical Thinking
   Answers will vary.

Así se dice

For both pages, discuss the concepts in the boxes and be sure students understand the examples. Then have them complete the activities on a separate sheet of paper. Assist students as necessary. For **Así se dice**, have students read aloud the sounds as they complete the activities.

Recuerda que los **antónimos** son palabras que tienen significados opuestos.

1. Escoge el antónimo de las palabras.

vender finales últimos partida

a. comienzos finales
b. comprar vender
c. llegada partida
d. primeros últimos

Recuerda que los **prefijos** son un grupo de letras que se ponen delante de una palabra. Estas letras cambian el significado de la palabra.

El prefijo **des**- cambia el significado a lo opuesto.

El prefijo **re**- significa la repetición de una acción.

2. Añade el prefijo *des*- o *re*-. Busca en el diccionario el significado de la nueva palabra.

a. conocido desconocido: persona o cosa que no se conoce; reconocido: agradecido
b. animar desanimar: hacer que alguien pierda los ánimos o entusiasmo; reanimar: dar nuevas fuerzas o ánimos
c. continuar descontinuar: interrumpir, dejar de hacer algo
d. construir reconstruir: volver a construir
e. abrir reabrir: volver a abrir

3. Busca la palabra que significa lo mismo en la lectura. El número dice en qué párrafo está la palabra.

a. que siembran la tierra (5) cultivan
b. zapatos, sandalias u otros objetos que cubren los pies (5) calzado
c. cosechar o recoger los frutos de la tierra (6) recolecta

4. Usa las palabras de la actividad anterior para completar las oraciones.

a. En Otavalo cultivan el maíz desde hace miles de años.
b. En la Plaza de Ponchos se pueden comprar calzado y ropa.
c. El maíz se recolecta durante el mes de septiembre.

Así se escribe

1. Completa las palabras en estas oraciones con *ll* o *y*.

   a. Las ll amas del va ll e producen lana.
   b. Miles de personas ll egan a la Fiesta del Y amor.
   c. Los otavaleños reconstru y eron su ciudad.
   d. Deja la ll ave sobre la mesa.

Los **paréntesis** se usan para añadir una explicación o aclaración.

- Ayer fue su cumpleaños (cumplió 10 años) y tuvo una gran fiesta.
- La caja pesa 10 kilos (aproximadamente 22 libras).

2. Añade los paréntesis donde correspondan en estas oraciones.

   a. Otavalo (Ecuador) está a dos horas de Quito.
   b. Llegó tarde (a las 10:00 a. m.) a la reunión.
   c. El ceviche (un plato de pescado) me gusta.
   d. El pregón (anuncio) es por la noche.

Los **adverbios** son palabras que modifican el significado de un verbo, un adjetivo u otro adverbio. Algunos adverbios son **de tiempo** (**marcadores temporales**). Indican cuándo sucedió, sucede o sucederá algo. Ayudan a entender una secuencia de eventos. Algunos adverbios de tiempo son: **ayer**, **hoy**, **mañana**; **antes**, **después**; **primero**, **luego**; **hoy en día**, **al comienzo**, **al final**.

3. Identifica cuál de los dos es el adverbio de tiempo en las oraciones.

   a. Los incas tomaron Otavalo después de muchos años de lucha.
   b. Hoy en día la ciudad de Otavalo tiene un mercado muy grande.
   c. La Fiesta del Yamor es a comienzos de septiembre.
   d. Mañana nosotros leeremos más sobre Ecuador.

A escribir

Discuss with students the markets in Otavalo and the variety of things that can be purchased there. Reread pages 81 and 82. Then Ask students to describe the "Fiesta del Yamor" and the variety of activities. Encourage them to be as visual as possible in their descriptions. Then have them write a paragraph on a separate sheet of paper. Remind them to use correct punctuation.

- Imagina que estás de vacaciones con tu familia en Otavalo durante la Fiesta del Yamor. Describe tu viaje. ¿Qué haces y ves en Otavalo? ¿Qué sucede durante tu visita? Escribe un párrafo. Answers will vary.

Discuss nuclear and extended families. Point out that family members don't always agree, but they still love each other. Then ask the following questions.

Antes de leer

¿Cómo te disculpas cuando te enojas con alguien?
When you get angry with someone, how do you ask for forgiveness?
¿Cómo te sientes cuando se aproxima tu cumpleaños?
How do you feel when your birthday comes around?
En tu cumpleaños, ¿prefieres abrir regalos o estar con los invitados? On your birthday, do you prefer to open gifts or to be with your guests?

Have students read the selection. In order to help with comprehension, you may want to use reading strategies, such as echo reading, retell and summarize, and so on. Point out that the highlighted words are defined in the end glossary. Help students with unfamiliar words and structures, and guide them to decode verbs and verb tenses, as necessary

Personajes

Edmundo, niño de 9 años
Clarinete, primo de Edmundo
Estrellita, prima de Edmundo
Basilio, padre de Edmundo
Basilia, madre de Edmundo

Acto primero

1 *Los pasillos de una casa. Estrellita y Clarinete están al lado de una habitación cerrada.*

CLARINETE. ¿Sabes qué ha pasado en la cocina hace un rato?
ESTRELLITA. Parece que al primo Edmundo lo han reñido por
5 malcriado.
CLARINETE. Con razón lo vi pasar furioso y encerrarse en su cuarto.
ESTRELLITA. Su papá, el tío Basilio, lo ha debido mandar allí. Yo no sé qué le pasa a Edmundo, pero está raro con todos.
10 CLARINETE. Yo sospecho que está nervioso porque se acerca su cumpleaños. Siempre se pone así. Tal vez deberíamos hablar con él.
ESTRELLITA. No creo que sea buena idea, por lo menos no mientras está enojado. Mejor quedémonos aquí, detrás de
15 su puerta, y escuchemos lo que dice. ¿Oyes algo? *(Ambos niños pegan sus orejas a la puerta del cuarto de Edmundo.)*

Acto segundo

El cuarto de Edmundo, Edmundo habla, echado en su cama, entre triste y enojado.

EDMUNDO. ¡Ay, pobrecito de mí! "¡A tu cuarto, y te quedas
20 sin cenar!", me dijo mi papá. Y todo por culpa de la vecina. Reconozco que hice mal en levantar la voz, pero no era para tanto. Creo que otros niños se portan mucho peor que yo y no los castigan tanto.

Además, hoy mi mamá había hecho fideos para la cena,
25 ¡lo que más me gusta! Pero, como nadie piensa en mí, me castigan y me dejan sin comer. ¡Qué injustos son todos! (*Bosteza.*) ¡Qué injusta que es esta vida, mi mamá… y mi papá…! (*Se queda dormido.*)

Acto tercero

30 *El sueño de Edmundo: él está en su cuarto, rodeado de regalos.*

EDMUNDO. ¡Uy, qué lindo! Ya llegó mi cumpleaños, el mejor día del año. A ver, ¿qué me han regalado? (*Abre, uno por uno, sus regalos.*)

¡Ah, qué lindo: una pelota y el juego de video que quería!
35 Y también unos guantes de arquero y diez revistas de historietas. ¡Hasta un lindo par de raquetas!

Pero, ¿dónde se han ido todos? ¿Por qué no hay nadie conmigo? ¿No voy a tener una fiesta con invitados y con torta? (*Llora.*)

40 ¿Para qué quiero regalos, si voy a estar solo? ¡Quiero ver a mi mamá! ¡Quiero ver a mi papá! Y a mis amiguitos y a mis primos. ¡No quiero estar solito!... (*Llora en el sueño y despierta llorando.*)

Acto cuarto

El cuarto de Edmundo. Entran Basilio y Basilia, al escuchar llorar
45 *a su hijo.*

BASILIA. ¿Qué te pasa hijito? (*Lo abraza. Edmundo llora aún.*)

EDMUNDO. (*Ya más calmado.*) Perdóname mamá querida. Nunca más seré grosero con nadie.

BASILIO. Qué bueno oírte hablar así, hijo.

50 EDMUNDO. Sí, papá, sé que he sido un malcriado y te pido perdón. También le pediré disculpas a doña Alcira, la vecina, porque sé que está enojada conmigo, y tiene toda la razón.

BASILIA. Me alegro mucho, Edmundo, y me siento muy
55 orgullosa de que hayas recapacitado.

EDMUNDO. Gracias mamá, y te prometo que voy a ser un buen niño.

Basilio. Qué bueno que hayas cambiado de actitud. Siento haberte castigado.

60 Edmundo. No te preocupes, papá. Que fue gracias a tu castigo que pude reflexionar.

Estrellita. Primo Edmundo, ¿cómo estás?, pensábamos que llorabas.

Clarinete. Sí, al menos desde afuera se te oía llorar bien

65 fuerte.

Edmundo. Sí, es verdad, lloraba, pero ya no. Ahora, con todos ustedes a mi lado, me siento mucho mejor.

Clarinete. ¡Qué raro! ¿Tú de tan buen humor? Qué rápido has cambiado.

70 Edmundo. Pero, ¿por qué te sorprendes? Tuve el mejor de los maestros: el sueño. Y me hizo dar cuenta de que ustedes, mi familia, son lo mejor que tengo.

Todos abrazan a Edmundo. Baja el telón.

Comprendo lo que leí

Discuss the selection with students. Then have them complete the activities on a separate sheet of paper.

1. ¿Quién es Basilio?

   a. el padre de Clarinete
   b. el primo de Estrellita
   (c.) el padre de Edmundo

2. ¿Por qué está furioso Edmundo?

   a. Porque no quiere pasar su cumpleaños solo.
   (b.) Porque su padre lo castigó.
   c. Porque no quiere comer fideos.

3. ¿Por qué dice Edmundo que sus padres son injustos?

   a. Porque no le regalan un juego de video.
   b. Porque no le dejan jugar con su pelota.
   (c.) Porque no le dejan comer su comida favorita.

4. ¿Por qué castigan los padres a Edmundo?

   (a.) Porque se portó mal con la vecina.
   b. Porque no quiso hablar con Clarinete y Estrellita.
   c. Porque no quiso salir de su cuarto.

5. ¿Qué ayudó a Edmundo a cambiar de actitud?

   a. los primos
   b. los regalos
   (c.) el sueño

6. ¿Qué lección aprendió Edmundo? Critical Thinking

   Edmundo aprendió que su familia es lo mejor que tiene.

Así se dice

For both pages, discuss the concepts in the boxes and be sure students understand the examples. Then have them complete the activities on a separate sheet of paper. Assist students as necessary. For **Así se dice**, have students read aloud the sounds as they complete the activities.

La **letra h** no se pronuncia. No tiene ningún sonido, pero debe escribirse en las palabras que la lleven. La **h** puede aparecer al principio o en el medio de una palabra.

➤ **h**ogar **h**ijo almo**h**ada a**h**ora

1. Identifica la palabra correcta.

   a. (habitación) / abitación
   b. hido / (ido)
   c. (historietas) / istorietas
   d. (hablar) / ablar

2. Busca la palabra que significa lo mismo en la lectura. El número dice en qué segmento está la palabra.

   a. regañado por algo que ha hecho o dicho (1) reñido
   b. maleducado (45) grosero
   c. extraño o distinto (65) raro

3. Escribe una oración con las palabras de la actividad anterior.
   Answers will vary.

Una **analogía** es la semejanza o parecido que hay entre dos o más palabras, cosas o ideas.

➤ carro : automóvil :: fiesta : celebración
(carro es a automóvil, como fiesta es a celebración)

➤ comer : hambre :: beber : sed
(comer es a hambre, como beber es a sed)

4. Escoge la palabra que completa la analogía. Usa el diccionario.

   a. reír : felicidad :: bostezar : cansancio
   b. escuchar : oír :: reflexionar : pensar
   c. perdonar : disculpar :: reconocer : aceptar

Así se escribe

Los **sustantivos** son palabras que nombran personas, lugares, animales y objetos.

➤ niña, casa, gato, manzana

1. Identifica los sustantivos en estas oraciones.

   a. Estrellita y Clarinete están al lado de una habitación cerrada.
   b. Al primo Edmundo lo han reñido por malcriado.
   c. Ya llegó mi cumpleaños, el mejor día del año.
   d. Tuve el mejor de los maestros: el sueño.

Los **adjetivos** son palabras que describen cómo es una persona, un lugar, un animal o un objeto.

➤ hermosa, soleado, peludo, redonda

2. Escoge el adjetivo que completa la oración.

   a. Mi padre me castigó. Él está (enojado / alegre) conmigo.
   b. Yo le grité a mi hermano. Fui (aburrido / grosero).
   c. Ésa no es una (buena / maleducada) idea.
   d. La mamá de Edmundo está (recapacitada / orgullosa) de su hijo.

Los **sustantivos** y **adjetivos** deben **concordar** en género (masculino o femenino) y número (singular o plural).

➤ La niñ**a** es alt**a**. El niñ**o** es baj**o**. Los niñ**os** son buen**os**.

3. Corrige el error de concordancia en el adjetivo subrayado en estas oraciones.

   a. Los primos son <u>inteligente</u>. inteligentes
   b. El niño es <u>malcriada</u>. malcriado
   c. Mi mamá y mi prima son <u>bonitos</u>. bonitas

A escribir

Discuss with students what they think happened in the play before Edmundo was sent to his room. Talk about how dialogues are presented in a play. Then have students write a dialogue on a separate sheet of paper. Remind them to use correct punctuation.

- Lee los dos primeros actos de la obra. ¿Qué pasó en la cocina, antes de comenzar la obra? Escribe un diálogo entre Edmundo y sus padres, cuando ellos lo regañaron en la cocina. Answers will vary.

Discuss with students what the nature of homes are like in your community (houses, residential developments, apartment complexes, and so on). Then ask the following questions.

Antes de leer

¿Cómo son las calles de tu comunidad? What are the streets in your community like?

Las casas o apartamentos de tu comunidad, ¿son todas iguales? Explica. Are the houses or apartments in your community all the same? Explain.

¿Qué es un desastre natural? What is a natural disaster?

Have students read the selection. In order to help with comprehension, you may want to use reading strategies, such as echo reading, retell and summarize, and so on. Point out that the highlighted words are defined in the end glossary. Help students with unfamiliar words and structures, and guide them to decode verbs and verb tenses, as necessary.

1 Antes del viento, esta ciudad era muy ordenada.

2 Todas las paredes estaban pintadas del mismo color, todos los tejados parecían recién puestos y hasta las ventanas eran iguales en todas las casas de la ciudad. Bueno, no en todas. Había una casa que era distinta.

3 Los árboles de los jardines tenían la misma altura y hasta el césped crecía con el mismo tamaño. Nadie dejaba que creciera demasiado, ni que salieran malas hierbas o plantas extrañas. Bueno, nadie no. Había una familia que era distinta.

4 Todas las casas de la ciudad, menos una, eran también iguales por dentro. Cada casa tenía dos plantas, con dos habitaciones y un cuarto de baño en cada planta. Además, tenían una cocina y un pequeño jardín. En aquellas viviendas todo estaba tan ordenado que parecía que nadie las habitaba. Por eso, si alguien se equivocaba de casa y, en vez de entrar en la suya, entraba en la del vecino, ni siquiera se daba cuenta.

5 Pero había una casa en la ciudad que era distinta, muy distinta a las demás.

6 En esta casa había paredes pintadas a rayas de distintos colores, las ventanas eran todas diferentes entre sí y el tejado parecía una vieja manta remendada.

7 Las habitaciones de esta casa eran absurdas: había un cuarto de baño que estaba en medio del salón y, donde debía estar el cuarto de baño, había un pasillo que no llevaba a ninguna parte. Además, no había cocina. En cambio, había cuatro cuartos de baño y sólo dos dormitorios.

8 En aquella casa, todo estaba tirado por el suelo o abandonado en cualquier sitio y de cualquier manera. Si algún miembro de la familia quería buscar, por ejemplo, la leche, no sólo tenía que abrir la nevera, sino también los armarios, y hasta tenía que mirar en los cuartos de baño y debajo de las camas. Era un auténtico desastre.

9 El jardín parecía una selva, con el césped sin cortar y enormes árboles muy frondosos, cuyas ramas invadían la casa y entraban por las ventanas.

10 Si alguien se equivocara de casa y entrase en ésta, se volvería completamente loco. Pero era imposible que, en aquella ciudad, alguien confundiera una casa normal con este lugar tan desastroso, que parecía habitado por extraterrestres.

11 Hasta que, un día, algo pasó, algo que cambió toda la ciudad.

12 Y no fueron los marcianos los que vinieron desde Marte para invadirla. Ni fueron los habitantes de la ciudad los que convencieron a la familia desastrosa para que ordenara y arreglara su casa. Ni tampoco fue la familia desastrosa la que convenció al resto de sus vecinos para que desordenaran sus casas.

13 Lo que ocurrió fue más asombroso. Y más inesperado.

14 Comenzó con una pequeña brisa que, poco a poco, fue haciéndose más y más fuerte. En un par de horas soplaba ya un viento feroz. La gente se encerró en los sótanos de sus casas, para evitar que aquel vendaval se los llevase volando por los aires.

15 El viento era tan potente que levantó los tejados, arrancó las ventanas de sus marcos y se llevó la pintura de las paredes.

16 Aquel huracán era tan terrible que derribó los árboles y los partió como si fueran débiles cerillas de madera. Después esparció por los jardines ramas y árboles enteros que llegaban volando por los aires. También salió volando el césped. Ahora, el cielo parecía el suelo.

17 El viento se coló también dentro de las casas. Sacó la ropa de los armarios, desordenó los cajones, deshizo las camas y abrió las neveras. Desparramó los libros de las bibliotecas, tiró los juguetes de las estanterías y rompió los cuadros que colgaban en las paredes. Arrastró las lavadoras de las cocinas y las llevó a los dormitorios; empujó las camas de los dormitorios hacia los baños; y hasta arrancó los lavabos para llevarlos quién sabe adónde.

18 Cuando al fin terminó el vendaval, la ciudad parecía otra. Las paredes estaban pintadas a trozos, las casas no tenían ventanas y los tejados parecían viejas mantas remendadas. Los cuartos de baño estaban en medio del salón y las cocinas en el lugar que antes ocupaban los cuartos de baño.

19 Los jardines eran como selvas salvajes, sin césped, sin flores y con abundante maleza invadiéndolo todo.

20 Sólo una casa estaba impecable: la casa de la familia desastrosa. El viento, allí, había hecho lo contrario que en el resto de la ciudad: había traído césped desde un campo de golf para tapizar el pequeño jardín; había traído tejas iguales, que ahora relucían bien colocadas en el tejado; había ordenado las habitaciones; y también había quitado el cuarto de baño del centro del salón.

21 Ahora, esa casa era la única vivienda ordenada en toda la ciudad.

22 Claro que no duró así mucho tiempo, aunque nunca volvió a ser tan desastrosa como antes. Ahora era una casa bastante normal.

23 Tampoco las otras casas de la ciudad volvieron a ser tan impecables y ordenadas como antes de llegar el viento. Ahora eran casas normales.

24 La ciudad entera, tras el paso del viento se convirtió en una ciudad normal. Es cierto que no es una ciudad desastrosa, pero tampoco es tan ordenada como lo era antes de que llegara el viento, el viento que cambió aquella ciudad para siempre. O al menos hasta que ocurra alguna otra cosa asombrosa.

Comprendo lo que leí

Discuss the selection with students. Then have them complete the activities on a separate sheet of paper.

1. Antes del viento, ¿qué pasaba si alguien entraba en la casa del vecino en vez de entrar en su casa?
   a. Se asustaba y le pedía disculpas al vecino.
   b. Se ponía a cortar el césped con el vecino.
   (c.) No se daba cuenta de que estaba en otra casa.

2. ¿Por qué era absurdo uno de los cuartos de baño de la casa desastrosa?
   a. Porque estaba en un pasillo.
   (b.) Porque estaba en medio del salón.
   c. Porque estaba en un dormitorio.

3. ¿Dónde tenían que buscar la leche las personas de la casa desastrosa, además de la nevera?
   a. en la casa de los vecinos
   (b.) en los armarios, los cuartos de baño y debajo de las camas
   c. en el jardín de la casa

4. ¿Qué hizo el viento?
   a. Arregló todas las casas en la ciudad.
   b. Rompió todas las paredes de las casas.
   (c.) Cambió todo a lo contrario de lo que era al principio.

5. ¿Qué pasó en la ciudad poco tiempo después del vendaval?
   (a.) La ciudad se convirtió en una ciudad normal.
   b. Todos los vecinos se fueron de la ciudad.
   c. Las casas volvieron a ser tan ordenadas como antes.

6. ¿Por qué el cuento dice que el tejado de la casa distinta parecía "una vieja manta remendada"? Critical Thinking

   Answers may vary. Possible answer: Porque el tejado estaba roto y tenía tejas de diferentes estilos.

Así se dice

For both pages, discuss the concepts in the boxes and be sure students understand the examples. Then have them complete the activities on a separate sheet of paper. Assist students as necessary. For **Así se dice**, have students read aloud the sounds as they complete the activities.

Los **antónimos** son palabras que tienen significados opuestos.

➤ fácil / difícil   subir / bajar

1. Identifica los antónimos en estas oraciones.
   a. Ana ordenó su cuarto y Miguel lo desordenó.
   b. Todas las casas eran iguales, menos una, que era distinto.
   c. Las habitaciones eran absurdas, no estaban en un lugar lógico.
   d. Ana hizo su cama y el viento la deshizo.

2. Busca la palabra que significa lo mismo en la lectura. El número te dice en qué párrafo está la palabra.
   a. los pisos en que se divide una casa o edificio (4) plantas
   b. con muchas hojas y ramas (9) frondosos
   c. que es un desastre (10) desastroso

3. Escribe una oración con cada una de las palabras de la actividad anterior.
   Answers will vary.

Recuerda que una **analogía** es la semejanza o parecido que hay entre dos o más palabras, cosas o ideas.

➤ carro : automóvil :: fiesta : celebración

➤ comer : hambre :: beber : sed

4. Escoge la palabra que completa la analogía. Usa el diccionario.

   a. grande : enorme :: limpio: impecable
   b. hermosa : horrible :: estupenda : desastrosa
   c. rápido : veloz :: sorprendente: asombroso

Así se escribe

Las **oraciones** tienen dos partes: **sujeto** y **predicado**. El sujeto es la persona, objeto o animal del que se habla en la oración. El predicado es lo que se dice del sujeto. El sujeto y el verbo del predicado deben concordar.

➤ Los jardines eran como selvas salvajes.
sujeto: los jardines **predicado**: eran como selvas salvajes

1. Identifica el sujeto y el predicado en estas oraciones.

   a. El árbol del jardín es enorme y frondoso.
   sujeto: el árbol del jardín; predicado: es enorme y frondoso
   b. Todas las paredes estaban pintadas a trozos.
   sujeto: todas las paredes; predicado: estaban pintadas a trozos
   c. Esa casa era la única vivienda ordenada.
   sujeto: esa casa; predicado: era la única vivienda ordenada
   d. Los jardines eran como selvas salvajes.
   sujeto:los jardines; predicado: eran como selvas salvajes
   e. Aquel huracán era tan terrible que derribó los árboles.
   sujeto: aquel huracán; predicado: era tan terrible que derribó los árboles

El **artículo indefinido** (**un**, **una**, **unos**, **unas**) se usa para hablar de algo que no es específico. El **artículo definido** (**el**, **la**, **los**, **las**) se usa para hablar de algo específico.

➤ **indefinido**: Conozco a **una** maestra. ➤ **definido**: Conozco a **la** maestra de español.

2. Completa el párrafo con los artículos apropiados.

Las casas de la ciudad eran iguales. Pero había una casa que era distinta. Las paredes eran de colores diferentes. La casa tenía un pasillo que no llevaba a ninguna parte. En el salón había un baño. ¡Qué casa desastrosa!

Discuss with students the story's ending. Have them think about why the only disorganized house is now the only organized one. Encourage students to think about the author's purpose. What does he want us to think at the end of the story? Then have them write a paragraph on a separate sheet of paper. Remind them to use correct punctuation.

A escribir

- ¿Por qué hay una sola casa impecable al final del cuento? ¿Por qué no se quedó así durante mucho tiempo? ¿Por qué las otras casas no vuelven a estar tan impecables y ordenadas como antes? Escribe un párrafo. Answers will vary.

3 Vamos a aprender
Descubre El Salvador

Discuss with students the theory of plate tectonics, and the violent nature of volcanoes and earthquakes. Then ask the following questions.

Antes de leer

¿Qué sabes acerca de los terremotos?
What do you know about earthquakes?
¿Qué sabes acerca de los volcanes?
What do you know about volcanoes?
¿Has visto un volcán alguna vez? ¿Dónde?
Have you ever seen a volcano? Where?

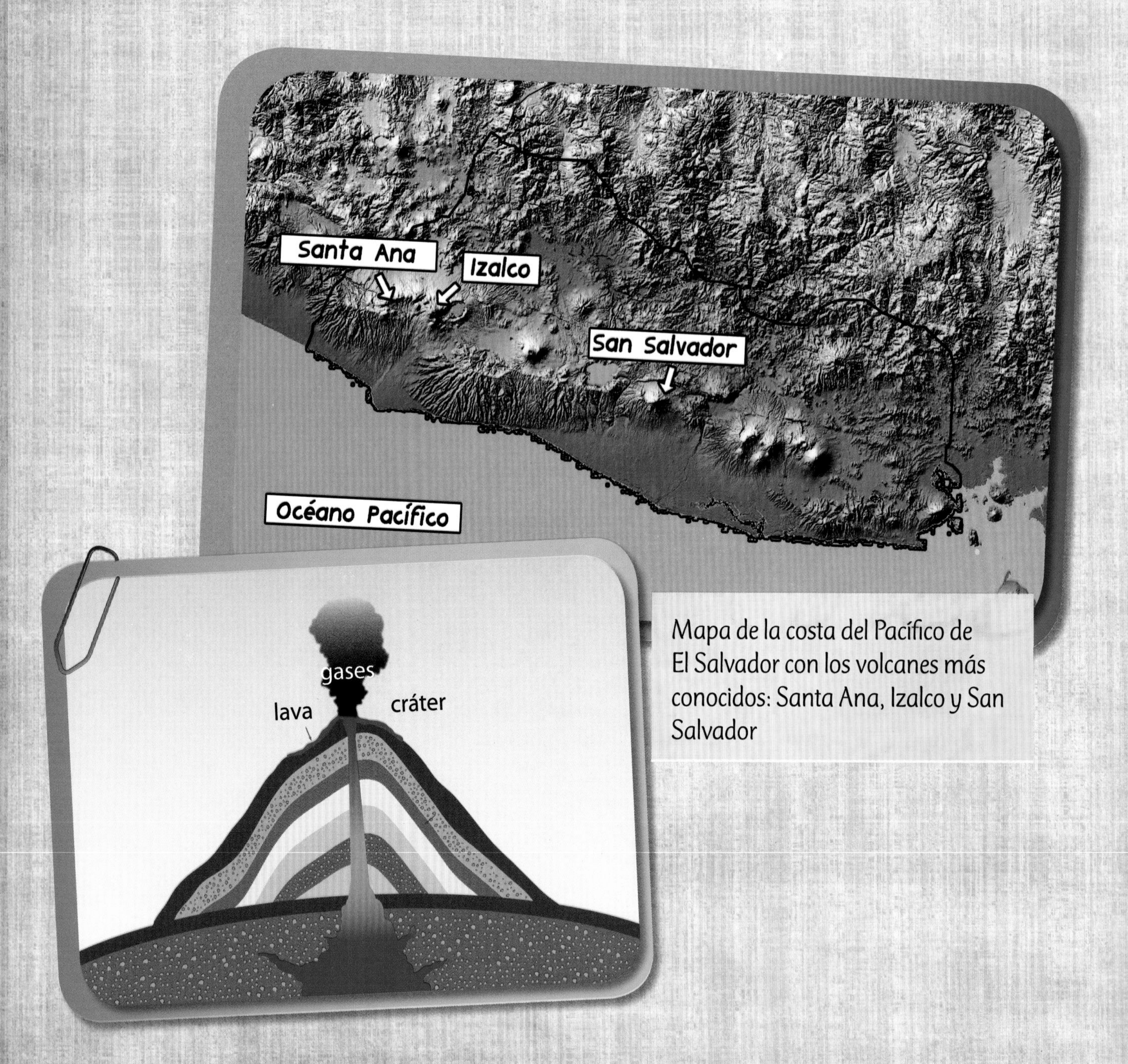

Mapa de la costa del Pacífico de El Salvador con los volcanes más conocidos: Santa Ana, Izalco y San Salvador

El Salvador, tierra de volcanes

María Á Pérez

Have students read the selection. In order to help with comprehension, you may want to use reading strategies, such as echo reading, retell and summarize, and so on. Point out that the highlighted words are defined in the end glossary. Help students with unfamiliar words and structures, and guide them to decode verbs and verb tenses, as necessary.

1 El Salvador es el país más pequeño de América Central, pero está muy poblado. En este pequeño país viven más de seis millones de personas. El Salvador es famoso por sus volcanes, ya que tiene más de veinte. Por eso se dice que El Salvador es una tierra de volcanes.

2 Los volcanes son aberturas en la superficie de la Tierra. Generalmente tienen forma de cono y en la cima hay un cráter. Cuando un volcán entra en erupción, suben del interior de la Tierra hacia la superficie gases y roca derretida que salen por el cráter. Esta roca derretida se llama lava, y su temperatura puede llegar a alcanzar 1,200 grados centígrados.

3 La abundancia de volcanes en El Salvador es debida a que el país se encuentra en el llamado Cinturón de Fuego del Pacífico. Se le llama así a la zona que rodea el océano Pacífico y donde están la mayoría de los volcanes del planeta. En esta zona hay muchos terremotos.

Vista de los volcanes Izalco y Cerro Verde, El Salvador

4 La superficie de la Tierra está formada por placas, o trozos enormes de roca, que encajan como las piezas de un rompecabezas. A veces estas placas chocan entre sí y se empujan. Esto causa terremotos y ayuda a formar montañas y volcanes. En el Cinturón de Fuego del Pacífico hay mucha actividad sísmica y volcánica porque en esta zona se juntan varias placas.

5 El volcán Izalco es probablemente el volcán más conocido de El Salvador. Está ubicado en el oeste del país y entró en erupción hace más de doscientos años. Fue uno de los volcanes más activos de El Salvador pues tuvo más de cincuenta erupciones entre 1770 y 1958.

6 Tanta era la actividad y fuerza de las erupciones del Izalco que desde los barcos que navegaban por el océano Pacífico se veía la luz de la lava ardiendo expulsada por este volcán. Esta luz les servía de guía a los barcos y por eso el volcán Izalco se conocía como el "Faro del Pacífico". Hoy en día el Izalco está tranquilo. La última erupción fue bastante pequeña y tuvo lugar en 1966.

El volcán Izalco

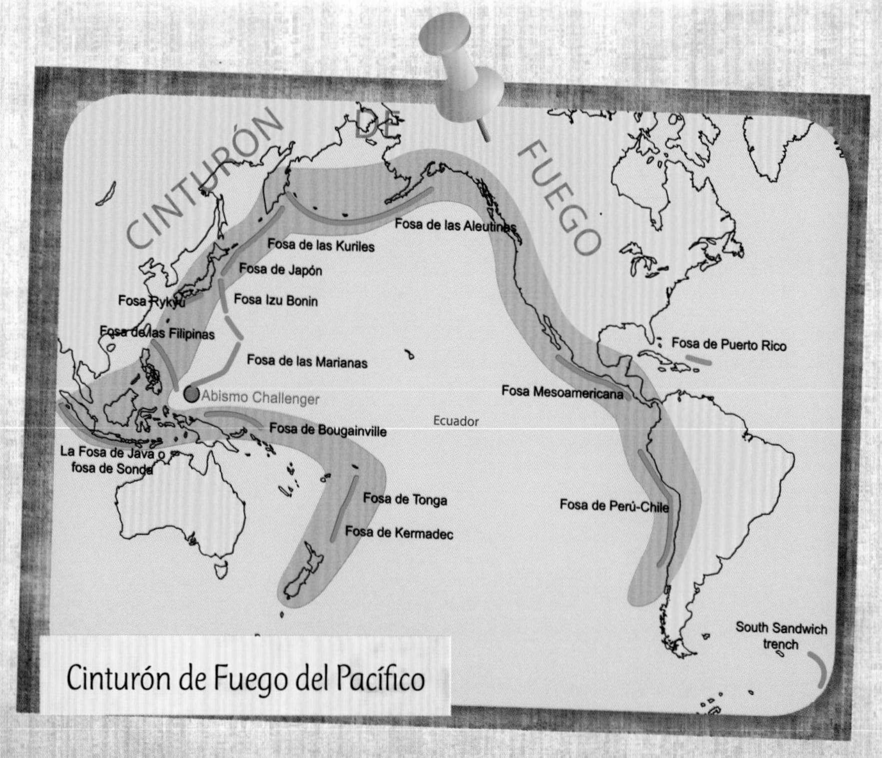

Cinturón de Fuego del Pacífico

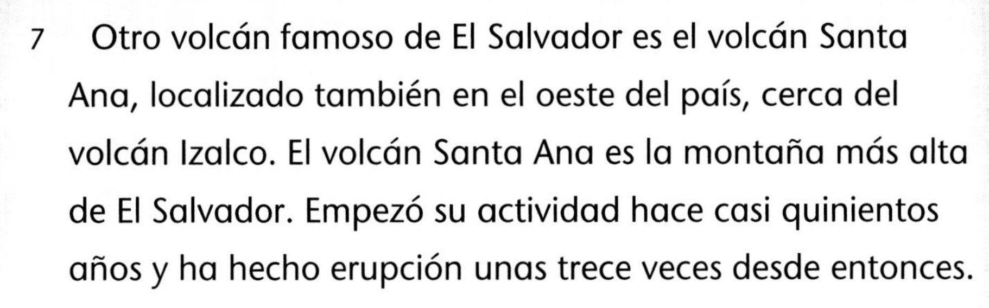

7 Otro volcán famoso de El Salvador es el volcán Santa Ana, localizado también en el oeste del país, cerca del volcán Izalco. El volcán Santa Ana es la montaña más alta de El Salvador. Empezó su actividad hace casi quinientos años y ha hecho erupción unas trece veces desde entonces.

8 La última erupción del volcán Santa Ana ocurrió en 2005. En esta erupción, el Santa Ana expulsó ceniza y lava ¡y hasta rocas del tamaño de un automóvil! La lava y la ceniza dañaron la vegetación de los alrededores y afectaron los cultivos de la zona. Este volcán sigue activo, lo que significa que puede volver a hacer erupción en un futuro cercano.

Una caminata atravesando los volcanes Cerro Verde y Santa Ana

El volcán Santa Ana (también llamado Ilamatepec), lanzando rocas y ceniza (2005)

9 Los volcanes son tan comunes en El Salvador que hasta hay uno justo detrás de la capital del país: el volcán San Salvador. Los científicos lo vigilan atentamente, ya que una erupción podría causar mucho daño en la ciudad de San Salvador, donde viven dos millones de personas. La última erupción de este volcán fue en 1917.

10 El volcán San Salvador está en el Parque Nacional El Boquerón, a unos quince minutos de la ciudad de San Salvador. Los visitantes pueden pasear por los senderos del parque, bajar con un guía hasta el fondo del cráter del volcán y hacer ciclismo de montaña.

11 Los volcanes son parte del paisaje y de la historia de El Salvador. El pueblo salvadoreño ha aprendido a vivir en una tierra de volcanes, admirando, respetando y también disfrutando de su belleza.

Vistas del volcán San Salvador desde la capital

Comprendo lo que leí

Discuss the selection with students. Then have them complete the activities on a separate sheet of paper.

1. ¿Dónde están la mayoría de los volcanes de la Tierra?

   a. en el Caribe
   (b.) en el Pacífico
   c. en el Atlántico

2. La superficie de nuestro planeta está formada por...

   a. volcanes.
   b. lava.
   (c.) placas.

3. ¿Qué expulsan los volcanes?

   (a.) gases y lava
   b. agua y gases
   c. lava y agua

4. ¿Qué volcán era conocido como el "Faro del Pacífico"?

   a. el volcán Santa Ana
   (b.) el volcán Izalco
   c. el volcán San Salvador

5. ¿Cuál es el volcán más alto de El Salvador?

   a. el volcán Santa Ana
   (b.) el volcán Izalco
   c. el volcán San Salvador

6. ¿Cómo se sabe cuándo va a hacer erupción un volcán? Critical Thinking

   Answers may vary. Possible answer: Cuando empieza a expulsar cenizas y lava.

Así se dice

For both pages, discuss the concepts in the boxes and be sure students understand the examples. Then have them complete the activities on a separate sheet of paper. Assist students as necessary. For **Así se dice**, have students read aloud the sounds as they complete the activities.

La **sílaba tónica** es la sílaba que se pronuncia más fuerte en una palabra. Cuando la sílaba tónica cae en la última sílaba, la palabra es **aguda**; cuando cae en la penúltima sílaba, la palabra es **llana** (o **grave**) y cuando cae en la antepenúltima sílaba, la palabra es **esdrújula**.

- pa-pá: la sílaba tónica es **pá** (aguda)
- a-ma-do: la sílaba tónica es **ma** (llana/grave)
- é-ra-se: la sílaba tónica es **é** (esdrújula)

1. Separa en sílabas las palabras. Identifica las palabras agudas, llanas y esdrújulas.

   a. volcán vol-cán, aguda
   b. Pacífico Pa-cí-fi-co, esdrújula
   c. automóvil au-to-mó-vil, llana
   d. placas pla-cas, llana
   e. actividad ac-ti-vi-dad, aguda
   f. paisaje pai-sa-je, llana
   g. América A-mé-ri-ca, esdrújula
   h. Cinturón Cin-tu-rón, aguda
   i. empezó em-pe-zó, aguda
   j. océano o-cé-a-no, esdrújula
   k. vivir vi-vir, aguda
   l. sísmica sís-mi-ca, esdrújula

2. Busca la palabra que significa lo mismo en la lectura. El número dice en qué párrafo está la palabra.

   a. la parte más alta de una montaña (2) cima
   b. una región, lugar o área geográfica (3) zona
   c. localizado, que está en un lugar (5) ubicado
   d. que está en actividad o puede estarlo (8) activo
   e. con atención o interés (9) atentamente

3. Escribe una oración con cada una de las palabras de la actividad anterior.
   Answers will vary.

4. Escoge la palabra que completa la analogía. Usa el diccionario.

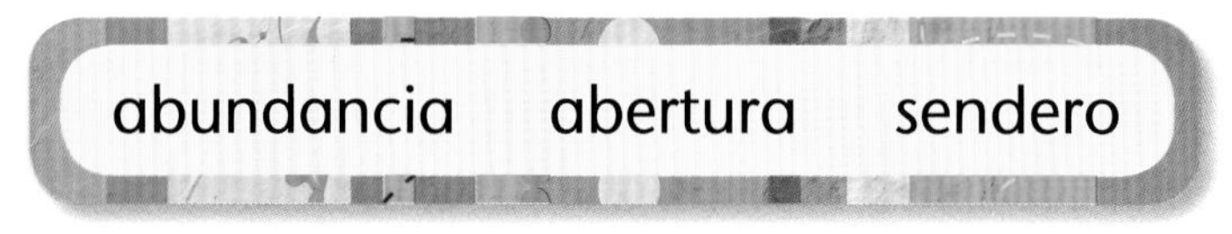

   a. avenida : calle :: camino : sendero
   b. cerro : montaña :: hueco : abertura
   c. pobreza : riqueza :: escasez : abundancia

Así se escribe

Las palabras **llanas** (o **graves**) llevan acento gráfico sólo cuando terminan en una consonante, que no sea **n** o **s**. Todas las palabras **esdrújulas** llevan un acento gráfico, o tilde.

➤ llanas: **ár**bol **dó**lar ➤ esdrújulas: **mú**sica **úl**timo **pá**jaro A**mé**rica

1. Escribe el acento en las palabras que lo necesitan.

a. volcanes
b. Pacifico Pacífico
c. sismica sísmica
d. cientificos científicos
e. ultima última
f. afectaron

Cuando se hace una **comparación** de las cualidades o características entre dos o más objetos o personas, se usan expresiones como **más... que**.

➤ Él es **más rápido que** yo. Ella es **más bella que** una flor.

2. Escoge la frase que completa la oración.

a. La ciudad de San Salvador es (la más poblada / más poblada que) la ciudad de Santa Ana.
b. El volcán Santa Ana es (el más activo / más activo que) el volcán San Salvador.

Los **adverbios** son palabras que modifican el significado de un verbo, un adjetivo u otro adverbio y dicen **de qué modo** se hace algo, **dónde** se hace, **cuándo** se hace o **cómo** pasa. Hay adverbios que se forman añadiendo la terminación -**mente** a un adjetivo.

➤ Pablo camina **lentamente**. Luisa y María caminan **rápidamente**.

3. Cambia los adjetivos a adverbios terminados en *-mente*. Luego escribe una oración con cada adverbio.

a. probable probablemente
b. frecuente frecuentemente
c. fácil fácilmente
d. real realmente
e. atento atentamente
f. sincero sinceramente

A escribir

Discuss with students the volcanoes in the reading. Encourage them to think how the volcanoes are similar and how they are different. Then have them write a paragraph on a separate sheet of paper. Remind them to use correct punctuation.

- Compara los volcanes de El Salvador. ¿En qué se parecen? ¿En qué se diferencian? Escribe un párrafo. Answers will vary.

Discuss with students some of their musical and cultural traditions and the importance of preserving these traditions. Then ask the following questions.

Antes de leer

¿Qué música escuchas en las celebraciones de tu familia?
What music is played in your family's celebrations?
¿Bailan las personas en estas celebraciones?
Do people dance in these celebrations?
¿Te gusta cantar? ¿Te gusta bailar? ¿Por qué?
Do you like to sing? Do you like to dance? Why?

Agapito, el coquí trovador

Jessenia Pagán Marrero
adaptación

Have students read the selection. In order to help with comprehension, you may want to use reading strategies, such as echo reading, retell and summarize, and so on. Point out that the highlighted words are defined in the end glossary. Help students with unfamiliar words and structures, and guide them to decode verbs and verb tenses, as necessary.

1 El cartero llegó temprano, como todos los días, y, con él, la invitación a las Fiestas Verdes de Navidad. En ellas, se celebraría un concurso de trovadores.

—¡Levántate, Agapito! —le dijo doña Carmelita a su hijo—. Llegó una invitación para las Fiestas Verdes. ¡Este año habrá un concurso de trovadores!

2 Esa mañana, Agapito estuvo muy contento. Al día siguiente, fue a las oficinas del Consejo de la Fauna Boricua a inscribirse para la competencia. Allí vio al gallo Yuyín; a Pancho, el sapo concho; y a Lolita, la ruiseñor. Todos habían ido a inscribirse.

—¿Qué haces aquí, Agapito? —preguntó el gallo Yuyín.

—Vine a inscribirme en el concurso de trovadores —contestó con emoción Agapito.

—¿Tú? ¡Ja, ja! ¡No me hagas reír! —dijo a carcajadas Pancho, el sapo concho.

—¿Por qué dices eso? —preguntó Agapito con tristeza.

—Eres muy pequeño —dijo con pena Lolita, la ruiseñor—. Tu canto apenas va a escucharse.

—Además, seguramente no sabes lo que es una décima —añadió Yuyín.

—La décimas son muy importantes para nuestra música puertorriqueña —dijo Lolita.

3 De camino a su casa, Agapito iba pensando en lo que dijo Lolita. Aunque se sentía un poco triste por lo que le dijeron los demás, decidió que competiría.

—Papá, necesito que me ayudes —pidió Agapito—. Por favor, necesito que me enseñes todo lo que sepas de la décima puertorriqueña.

—Pues lo primero que debes saber es que una décima tiene diez versos —dijo el papá, sintiéndose todo un maestro trovador—. Cada verso debe tener ocho sílabas. Pero, ¿sabes qué es lo más importante en una buena décima?

—¡Dime, papá, dime! —suplicó Agapito.

—La rima —dijo don Mario—. La rima es muy importante.

4 Agapito y su papá hablaron y aprendieron sobre la décima puertorriqueña por varios días. Todas las noches Agapito cantaba con él. A doña Carmelita le gustaba escucharlos.

5 Después de tanto ensayar, las Fiestas Verdes de Navidad, por fin, llegaron. Agapito estaba muy nervioso.

—¡Así que decidiste competir! —dijo Pancho, el sapo concho—. Pensé que te habías arrepentido.

—No tenía por qué arrepentirme —respondió Agapito muy seguro—. Cantaré... Y cantaré bien.

6 La competencia comenzó. Lolita, la ruiseñor, tuvo el primer turno. Tan pronto la ruiseñor empezó a cantar, todo el mundo hizo silencio. Hasta Yuyín y Pancho se quedaron mudos por la belleza de su voz.

7 Luego, llegó el turno de Yuyín. Su voz era fuerte, como su cantar en todas las madrugadas. Sus décimas expresaron el orgullo que sentía de levantar todos los días a su gente.

8 Agapito estaba emocionado. ¡Todos cantaban tan bien! Las décimas eran bonitas y la gente estaba contenta.

—¡Qué bonito cantó Lolita! —le dijo con emoción a Pancho—. ¡Y que voz tan fuerte tiene Yuyín!

—Y eso, ¡que no me has oído cantar! —dijo con un poco de envidia el sapo—. Yo ganaré la competencia. Tú deberías irte a tu casa. Obviamente, no ganarás.

—No vine a ganar, vine a cantar décimas —dijo con firmeza Agapito.

9 Pancho estaba tan enfrascado en la conversación con Agapito, que no se dio cuenta de que ya era su turno. Al salir a toda prisa al escenario, el sapo vio cuánta gente esperaba por oír su canto y se puso muy nervioso. La música sonaba y sonaba, pero no empezaba a cantar.

10 Pancho no sabía qué hacer. Las palabras no salían de su boca. En medio de la desesperación, miró a Agapito. Sin pensarlo dos veces, el pequeño coquí salió al escenario, se paró junto a Pancho y empezó a cantar:

11 Mi amigo está emocionado,
es la emoción de cantar,
y entre versos exaltar,
con su ser apasionado,
la décima que ha olvidado.

12 Y hoy yo canto por él,
y vengo a nuestro vergel,
a pedir lo que aquí muestro,
que no olvidemos lo nuestro,
y a nuestra música ser fiel.

13 Agapito cantó con todo su corazón. Al terminar, el público aplaudió y gritó.

—Gracias, Agapito —dijo el sapo Pancho—. No merecía tu ayuda.

—Todos merecemos ayuda —dijo con una gran sonrisa Agapito—. La música es para todos.

14 El público esperaba con avidez los resultados del concurso. Minutos después, a la tarima se acercó Cándida Cotorrales, presidenta del Consejo de Fauna Boricua. Se dirigió al público y dijo lo siguiente:

—Señoras y señores, ¡ya tenemos un ganador! Por su linda voz, sus versos elegantes y por ser un buen competidor, ¡hoy anunciamos que la Copa Verde al Trovador del Año es para Agapito del Monte Saltarín!

15 Cuando Agapito recogió su copa, la presidenta del Consejo le dijo:

—Gracias, pequeño, por recordarnos que debemos valorar, respetar y amar nuestra música y nuestras tradiciones.

16 Al escuchar estas palabras, Agapito sonrió lleno de orgullo.

Comprendo lo que leí

Discuss the selection with students. Then have them complete the activities on a separate sheet of paper.

1. En las Fiestas Verdes hay un concurso de...

   a. bailarines.
   (b.) trovadores.
   c. rimas.

2. ¿Qué hace Pancho cuando ve que Agapito quiere inscribirse en la competencia?

   a. Se enoja con Agapito.
   b. Felicita a Agapito.
   (c.) Se ríe de Agapito.

3. ¿Qué piensa Lolita de Agapito?

   (a.) que es muy pequeño
   b. que es muy orgulloso
   c. que canta muy mal

4. Según el cuento, ¿qué es una décima?

   a. un poema o canción de ocho versos, cada uno de diez sílabas
   (b.) un poema o canción de diez versos, cada uno de ocho sílabas
   c. un poema o canción de diez sílabas, cada uno de ocho versos

5. ¿Cómo se sentía Agapito durante la competencia?

   a. envidioso
   b. desesperado
   (c.) emocionado

6. ¿Cómo ayudaba a mantener las tradiciones puertorriqueñas la competencia de trovadores? Critical Thinking

   Answers will vary.

Así se dice

For both pages, discuss the concepts in the boxes and be sure students understand the examples. Then have them complete the activities on a separate sheet of paper. Assist students as necessary. For **Así se dice**, have students read aloud the sounds as they complete the activities.

Cuando una palabra tiene más de un significado, es importante leer la oración o el párrafo donde aparece la palabra para saber qué definición es la más apropiada. A veces, es necesario usar un **diccionario**.

- ➤ Él cantó una **décima** hermosa. (poesía o canción)
- ➤ Ella será la **décima** cantante. (número 10)

1. Lee la oración. Escribe la definición correcta de la palabra subrayada. Usa el diccionario.
   a. Agapito se quería <u>inscribir</u> en un concurso. escribir una persona su nombre en una lista
   b. Él es un coquí muy dulce y <u>noble</u>. generoso, fiel
   c. Al gallo le gusta <u>levantar</u> a la gente por las mañanas. despertar a una persona
   d. Debemos <u>valorar</u> nuestras tradiciones. reconocer el mérito de alguien o algo
   e. La presidenta del <u>Consejo</u> entregó el premio. grupo de personas que juntas gobiernan o dirigen

2. Busca la palabra que significa lo mismo en la lectura. El número dice en qué segmento está la palabra.
   a. personas que componen y que cantan décimas (1) trovadores
   b. líneas de una poesía o canción (3) versos
   c. escenario, espacio de un teatro (14) tarima
   d. que gana un premio (14) ganador

3. Escribe una oración con cada una de las palabras de la actividad anterior.
   Answers will vary.

4. Escoge la palabra que completa la analogía. Usa el diccionario.

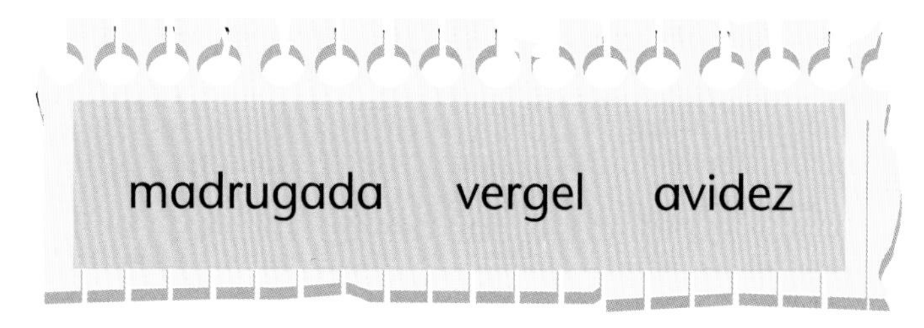

   a. felicidad : alegría :: ansia : avidez
   b. pájaro : ave :: huerto : vergel
   c. crepúsculo : anochecida :: aurora : madrugada

Así se escribe

Cuando hay dos vocales juntas, una fuerte (**a**, **e**, **o**) y una débil (**i**, **u**) se forma un **diptongo**. Pero cuando la fuerza de la pronunciación cae sobre la vocal débil, ésta se acentúa y **se rompe el diptongo**.

➤ vacío: va-**cí-o** países: p**a-í**-ses tenía: te-n**í-a** acentúa: a-cen-t**ú-a**

1. Escribe el acento en las palabras que lo necesitan.

a. dia día
b. bueno
c. alegria alegría
d. reir reír
e. deberia debería
f. anunciamos

Algunas palabras, o términos, suenan parecidas pero se escriben de forma diferente.

➤ asimismo así mismo ➤ sino si no

2. Escoge la palabra o palabras que mejor completan la oración.

a. ¿(Por qué / Porque) quieres cantar?
b. (Por qué / Porque) me gusta la música.
c. (También / Tan bien) me gusta bailar.

Las **conjunciones** se usan para unir palabras u oraciones. Algunas de las conjunciones más usadas son: **y**, **o**, **pero**, **que**, **aunque**, **si**.

➤ El gallo cantaba y cantaba, **pero** el niño no se levantaba de la cama.

3. Identifica las conjunciones en estas oraciones.

a. La música sonaba, pero Pancho no empezaba a cantar.
b. Yo quiero cantar bien, aunque no gane.
c. Si piensas hacerlo, debes hacerlo bien.

A escribir

Discuss with students their favorite parts of the story. Have them say why they liked those parts in particular. Encourage students to think of details that they could add to make those parts more interesting. Then have them write a paragraph on a separate sheet of paper. Remind them to use correct punctuation.

- ¿Cuál es tu parte favorita del cuento? ¿Por qué? ¿Qué detalles puedes agregar para que esa parte sea aún más divertida? Escribe un párrafo. Answers will vary.

Discuss with students everyday foods. Point out one, such as ketchup, and ask where they think its ingredients come from. Then ask the following questions.

Antes de leer

¿Qué frutas y verduras son nativas de Estados Unidos?
What fruits and vegetables are native to the United States?
¿Qué frutas y verduras vienen de otros países?
What fruits and vegetables come from other countries?
¿Comes hoy lo que la gente comía hace mil años? Explica.
Do you eat now what people a thousand years ago ate? Explain.

Mapa con los alimentos nativos del continente americano

Los alimentos del continente americano

María Á Pérez

Have students read the selection. In order to help with comprehension, you may want to use reading strategies, such as echo reading, retell and summarize, and so on. Point out that the highlighted words are defined in the end glossary. Help students with unfamiliar words and structures, and guide them to decode verbs and verb tenses, as necessary.

1 Muchos de los alimentos que comemos hoy en día vienen del continente americano. Antes de la llegada de los europeos, los habitantes de América habían logrado domesticar muchas plantas y las cultivaban para comer lo que producían.

2 Esos cultivos ayudaron al desarrollo de las grandes civilizaciones del continente americano: los aztecas, los mayas y los incas.

El maíz

3 Éste era el alimento principal de los pueblos que vivían en el continente americano antes de la llegada de los europeos. Los científicos creen que la planta del maíz es originaria de México. En sus comienzos era “teosinte”, una hierba silvestre, pero tenía unas pequeñas semillas que le gustaron al ser humano. Poco a poco los pobladores de las zonas donde crecía esta planta comenzaron a sembrarla y a seleccionar los mejores granos. De esta manera empezaron a domesticar la planta hace más de 8,000 años.

4 Había muchos intercambios comerciales entre los habitantes del continente americano. Probablemente, fue a través de estos intercambios que las semillas del maíz fueron pasando de una mano a otra y su cultivo se propagó por todo el continente. Cuando Cristóbal Colón llegó a las islas del Caribe, donde habitaban los taínos, éste vio el maíz por primera vez.

Plantación de maíz

Sembrado de tomates

Variedad de calabaza

El frijol

5 El segundo cultivo en importancia para el desarrollo de las culturas americanas, después del maíz, eran los frijoles. Había distintas variedades de frijol que crecían de modo silvestre por todo el continente americano. Pero, hace alrededor de 8,000 años, los habitantes de lo que es hoy México y Guatemala (así como los que vivían en la parte centro y sur de América del Sur) empezaron a cultivar estas plantas. Después de miles de años de sembrar y seleccionar las semillas que más les gustaban, estos habitantes produjeron las variedades de frijoles que hoy conocemos y comemos.

La calabaza

6 La calabaza fue una de las primeras plantas, junto con el maíz y los frijoles, que los antiguos habitantes de México y América Central comenzaron a cultivar. Al principio, la calabaza se sembraba por sus semillas, que era lo que se comía, pues la pulpa era muy amarga. Con el tiempo, sin embargo, los agricultores fueron seleccionando las calabazas más dulces y plantando esas semillas hasta lograr una calabaza comestible. También comían las flores de la calabaza, y hoy en día estas flores todavía se comen en México y América Central.

El tomate

7 El tomate es uno de los alimentos que más se consume en el mundo. Los científicos creen que la planta del tomate es nativa de Perú. Sin embargo, se cree que los aztecas, en México, fueron los primeros que empezaron a cultivar el tomate.

El chile

8 El chile, también conocido como "pimiento" o "ají", es otro alimento originario del continente americano. Algunas variedades se empezaron a cultivar en el sur de México y en el norte de Guatemala. Otras variedades se domesticaron en distintas regiones de América del Sur. Los mayas y los aztecas hacían salsas con el chile y les añadían estas salsas a la comida.

Cosecha de cacao

El cacao

9 Los científicos creen que esta planta se empezó a cultivar en Guatemala o en el sur de México. Los mayas eran los principales productores de cacao antes de la llegada de los europeos.

Cosecha de chiles

10 El árbol del cacao produce un fruto que tiene unas semillas en su interior. Estas semillas se secan y se tuestan, y luego se muelen hasta formar un polvo fino. Con este polvo, mezclado con agua, los mayas y los aztecas hacían una bebida amarga llamada "chocolate". Las semillas del cacao eran tan apreciadas que se utilizaban como moneda.

El aguacate

11 El aguacate es un árbol originario del sur de México y Guatemala. Los científicos creen que los habitantes de estas zonas comenzaron a consumir los pequeños frutos que producía este árbol hace unos 7,000 años. Después fueron seleccionando y sembrando las mejores semillas hasta lograr un fruto mayor. De México y América Central, el aguacate llegó a Perú, donde lo llamaban "palta". Los aztecas preparaban una salsa de aguacate llamada "huacamolli", que conocemos hoy en día como guacamole.

Aguacates

La papa

Cosecha de papas

12 La papa era una planta que crecía de forma silvestre en Perú y Bolivia. Los habitantes de esa zona empezaron a cultivarla hace aproximadamente unos 7,000 años. La papa tiene muchas vitaminas y por eso era el cultivo principal de los incas.

13 Tan importante era la papa para los incas, que inventaron un sistema para conservarla por largos períodos de tiempo. Ellos dejaban las papas al aire libre por varios días en las montañas nevadas para que se congelaran. Luego, las secaban al sol y las aplastaban para sacarle toda el agua hasta que quedaban como polvo. Este polvo, llamado "chuñu", lo podían guardar por varios años. Para comerlo, se mezclaba con agua y resultaba una pasta parecida al puré de papa.

14 Además de estos alimentos, también son del continente americano el boniato (camote), la yuca, el maní (cacahuate), la vainilla, la guayaba, la piña, la papaya, el mamey y el pavo.

15 Sin estos alimentos, no tendríamos papas fritas, pizza, tacos, chocolate, cereales de maíz, ni sándwiches de mantequilla de maní. Gracias a la sabiduría y destreza de los antiguos agricultores del continente americano, podemos disfrutar hoy en día de todos estos alimentos y nuestra dieta puede ser, por lo tanto, rica y variada.

Variedad de papas en la región de los Andes

Comprendo lo que leí

Discuss the selection with students. Then have them complete the activities on a separate sheet of paper.

1. ¿Cuál era el alimento más importante en el continente americano?
   a. el tomate
   (b.) el maíz
   c. el frijol

2. ¿Por qué sembraban la calabaza al principio?
   (a.) por sus semillas
   b. por su pulpa
   c. por sus flores

3. ¿Cuáles eran los tres cultivos principales en México y América Central?
   a. el cacao, el maní y el aguacate
   b. el chile, la papa y el tomate
   (c.) el maíz, el frijol y la calabaza

4. ¿Qué hacían los mayas y los aztecas con el chile?
   a. Preparaban tortillas.
   (b.) Preparaban salsas.
   c. Preparaban bebidas.

5. ¿Por qué la papa era el cultivo principal de los incas?
   (a.) por sus vitaminas
   b. por su tamaño
   c. por su variedad

6. ¿Qué alimento del continente americano es tu favorito? ¿Por qué es importante ese alimento? Critical Thinking
   Answers will vary.

For both pages, discuss the concepts in the boxes and be sure students understand the examples. Then have them complete the activities on a separate sheet of paper. Assist students as necessary. For **Así se dice**, have students read aloud the sounds as they complete the activities.

Así se dice

El español se habla en más de veinte países. Por eso es común que haya **variaciones** en algunas palabras entre un país y otro.

➤ frijol (México, América Central y Cuba) – habichuela (Puerto Rico y República Dominicana) – caraota (Venezuela) – fríjol (Colombia) – frejol (Ecuador, Perú) – poroto (resto de América del Sur) – alubia (España)

1. Identifica las palabras que nombran el mismo alimento. Usa el diccionario.

   a. (chile) (pimiento) elote tomate
   b. (aguacate) ají (palta) ananá
   c. papa (boniato) calabaza (camote)
   d. frijol (maní) (cacahuate) cacao

2. Escoge la palabra que significa lo mismo que la palabra subrayada en las oraciones. Usa el diccionario.

   a. Muchos alimentos <u>provienen</u> del continente americano. ((son) / están)
   b. Los habitantes del continente americano <u>cultivaban</u> muchas plantas. (tenían / (sembraban))
   c. La agricultura <u>favoreció</u> a las civilizaciones de América. ((ayudó) / congeló)

3. Busca la palabra que significa lo mismo en la lectura. El número dice en qué párrafo está la palabra.

   a. que crece de forma natural en los campos (5) silvestre
   b. de sabor ácido (10) amarga
   c. comer alimentos o tomar bebidas (11) consumir

4. Escribe oraciones con las palabras de la actividad anterior.
   Answers will vary.

5. Escoge la palabra que completa la analogía. Usa el diccionario.

   propagar cultivar congelar domesticar

   a. andar : caminar :: sembrar : cultivar
   b. organizar : ordenar :: extender : propagar
   c. seleccionar : escoger :: dominar : domesticar
   d. calentar : enfriar :: derretir : congelar

Así se escribe

Se usan **pronombres reflexivos** cuando la persona que hace la acción es la misma persona que recibe la acción. Los pronombres reflexivos son: **me** (yo), **te** (tú), **se** (él/ella/usted), **nos** (nosotros/nosotras) y **se** (ellos/ellas/ustedes).

➤ Él **se** levanta tarde. Yo **me** como la comida.

1. Completa las oraciones con el pronombre reflexivo.
   a. Los mayas se alimentaban bien.
   b. Nosotros nos comemos la comida.
   c. Tú te comes las verduras.
   d. Ella se prepara un chocolate caliente.

Los **adverbios** son palabras que modifican el significado de un verbo, un adjetivo u otro adverbio. Los **adverbios de tiempo** (**marcadores temporales**) indican cuándo sucedió, sucede o sucederá algo. Éstos ayudan a entender una secuencia de eventos. Algunos adverbios de tiempo son:

➤ **ayer**, **hoy**, **mañana**; **antes**, **después**; **primero**, **luego**; **todavía**, **al comienzo**, **al final**

2. Identifica el adverbio de tiempo en cada oración.
   a. Había maíz en el Caribe (antes) de que llegara Colón.
   b. Los incas cultivaban las papas y (luego) las conservaban.
   c. (Todavía) se comen las flores de la calabaza en México.

3. Corrige el verbo subrayado en cada oración.
   a. Los europeos <u>venieron</u> a América. vinieron
   b. Los incas <u>podieron</u> domesticar la papa. pudieron
   c. Los peruanos <u>trajieron</u> el aguacate de México. trajeron

A escribir

Discuss with students the advantages of growing different kinds of foods. Ask them to choose which foods they would like to grow in a garden and to say why they prefer those to others. Then have students write a paragraph on a separate sheet of paper to convince their classmates to grow those foods. Remind them to use correct punctuation.

- Imagina que tus compañeros y tú van a sembrar algunos alimentos en el jardín de la escuela. ¿Qué alimentos quieres sembrar? ¿Por qué? Escribe un párrafo para convencer a tus compañeros de que siembren esos alimentos. Answers will vary.

Discuss with students zoo animals —especially primates—and how these animals may feel about being in an enclosed space. Then ask the following questions.

Antes de leer

Cuando vas al zoológico, ¿dónde están los monos?
When you go to the zoo, where are the monkeys?
¿Qué hacen los monos?
What do the monkeys do?
¿Cómo se ven los monos: contentos o tristes, activos o inactivos, calmados o nerviosos? How do the monkeys look: happy or sad, active or inactive, peaceful or nervous?

Have students read the selection. In order to help with comprehension, you may want to use reading strategies, such as echo reading, retell and summarize, and so on. Point out that the highlighted words are defined in the end glossary. Help students with unfamiliar words and structures, and guide them to decode verbs and verb tenses, as necessary.

1 El que tuvo la idea fue el mono viejo.

2 Estaba ahí en su jaula, quietito, mientras los otros monos jugaban y chillaban. Era un mono viejo y por eso era el único que recordaba la selva. Entonces el mono viejo, que con el paso del tiempo se había convertido en el jefe, al que todos llamaban Babú, miró los barrotes de su jaula.

3 Y tuvo la idea.

—Tenemos que escapar —dijo bajito, la primera vez y se puso de pie.

—¡Tenemos que escapar! —chilló luego a todo pulmón levantando sus largos brazos.

4 Los demás monos dejaron de jugar y se miraron entre ellos. ¿Qué es eso de escapar? ¿Escapar adónde? ¿Para qué? Algunos pensaron que Babú ya era demasiado viejo y que seguro que estaba un poco loco. ¡Todos sabían que nadie podía escaparse de aquel lugar!

5 Babú pensaba en los árboles altísimos, el alboroto increíble que hacían los monos en la selva cuando sentían peligro. Sonrió. Recordaba cómo sus mayores arrojaban frutas para pegarle al tigre que les rugía desde abajo. Recordaba también las burlas que le hacían y el enojo del tigre cuando se cansaba y se alejaba, jurando que algún día volvería para cazarlos.

6 Sin embargo, no había sido el tigre, sino el hombre, el que lo había cazado. Babú lo recordaba: un ruido fuerte, como una explosión, y después de un golpe en su brazo. No había más recuerdos. Cuando despertó, estaba en una jaula; y muchos días después, en otra jaula más grande, con decenas de monos asustados, igual que él.

7 Desde entonces vivía en esa misma jaula del zoológico y todos los días le parecían iguales.

—¿Y adónde vamos a ir? —le preguntó al rato un monito de piel más oscura y cara muy cómica, al que todos llamaban Pulguita.

—Lejos —contestó Babú—. Muy lejos, a casa.

—¿A casa? —Pulguita no entendía, siempre había vivido allí, en la jaula. Para él, el mundo era ese lugar medio apretado, donde comía, dormía y a veces, cuando los mayores no miraban les tiraba pedazos de banana a los otros y se escondía, muerto de risa.

8 Esa noche, cuando todos dormían, los ojos de Babú brillaban en lo oscuro. De pronto Babú escuchó un sonido fuerte. Se levantó y trató de escuchar mejor. ¿Qué era eso? Sonaba como un animal ronco. Despacito se trepó a los barrotes, estiró sus largos brazos y se colgó del fierro más alto para espiar por encima del muro.

9 Entonces lo vio. Era un enorme vehículo rojo, que tenía como una gran casa atrás: un camión de carga, con una larga zorra cubierta por una lona. El camión había estacionado en la calle justo al lado del muro.

10 Babú hizo un enorme esfuerzo y se acordó de algo importante: la última parte de su viaje la había hecho en un vehículo así. Y como era muy inteligente, se daba cuenta de que la única manera de irse era haciendo lo mismo que cuando había venido, pero al revés.

11 De pronto Babú escuchó una voz. La voz cantaba.

12 Se paró de un salto y se colocó junto a los barrotes. Allá bajando por el camino, venía el viejo cuidador. Babú lo miró y sintió algo extraño. Ese era el hombre que venía por la mañanas y les daba de comer; el hombre que abría la puerta y la cerraba, con un objeto pequeño y brillante.

13 Babú se dio cuenta de que si lograba tener esa cosa brillante, podría abrir la puerta.

14 Tenía que hacer algo y rápido. Entonces miró alrededor y tuvo una gran idea. Juntó unas cáscaras de banana y las puso en el piso, delante de la entrada. Luego se puso a chillar y se tiró al suelo.

15 El cuidador escuchó el alboroto. Sacó la llave y abrió la jaula. El hombre avanzó hacia el mono viejo que lo miraba de reojo; y de pronto resbaló y cayó sentado. Entonces Babú se levantó de golpe y ordenó en idioma de mono:

—¡Síganme!

16 Pegó un salto, llegó a la puerta que estaba sin tranca y salió. Todos los monos, que eran como veinte, saltaron al muro y siguieron a Babú hasta la parte trasera del camión. Allí el mono viejo corrió la lona y de un salto trepó a la caja.

—¡Vamos, vamos, suban!

17 Detrás del camión, entre cajas cerradas, Babú ordenaba a los demás monos que permanecieran callados. Finalmente hubo un silencio largo y justo en ese momento se escucharon pasos fuera del camión. Babú estaba asustado. ¿Serían los hombres que venían a atraparlo otra vez?

18 Los pasos se detuvieron. Luego hubo un sonido de puerta y casi enseguida otra vez ese ruido de animal grande y ronco. El piso tembló. Los monos chillaron de miedo, pero con el sonido del motor, nadie podía oírlos. Cuando Babú logró calmarlos, se animó y se acercó a la lona. La corrió un poquito y miró hacia fuera.

19 Lo que vio lo llenó de terror: había muchas máquinas y luces que pasaban muy rápido. Había también personas que aparecían y enseguida quedaban atrás, muy atrás. Todo lo que se veía se iba rápidamente. Era una experiencia increíble. Pulguita miraba asombrado cómo el mundo se alejaba y se dio cuenta de la verdad.

—Babú —dijo acercándose al viejo—. Las cosas… las cosas no se alejan, ¿verdad?, es solo que nosotros vamos hacia delante.

20 Babú sonrió; el pequeño era muy inteligente, bastante más que muchos de los monos adultos que se abrazaban de miedo y pensaban que el mundo se escapaba de ellos.

Comprendo lo que leí

Discuss the selection with students. Then have them complete the activities on a separate sheet of paper.

1. ¿Quién era el jefe de los monos?

   a. el cuidador del zoológico
   (b.) Babú
   c. Pulguita

2. ¿Quién atrapó a Babú cuando vivía en la selva?

   a. un tigre
   (b.) un hombre
   c. un mono

3. ¿Por qué quería escaparse Babú?

   a. Porque no le gustaban los niños del zoológico.
   b. Porque quería tener una aventura.
   (c.) Porque quería regresar a la selva.

4. ¿Dónde vivían Babú, Pulguita y los otros monos del zoológico?

   a. en un gran árbol
   b. en un camión
   (c.) en una jaula

5. ¿Por qué abrió el cuidador la puerta de la jaula?

   (a.) para ayudar a Babú
   b. para alimentar a los monos
   c. para liberar a los monos

6. ¿Qué crees que va a pasar con Babú y sus compañeros? ¿Por qué? Critical Thinking

   Answers will vary.

For both pages, discuss the concepts in the boxes and be sure students understand the examples. Then have them complete the activities on a separate sheet of paper. Assist students as necessary. For **Así se dice**, have students read aloud the sounds as they complete the activities.

Así se dice

Un **diptongo se rompe** cuando se acentúa la vocal débil (**i, u**). Al romper el diptongo, el sonido de las vocales se pronuncia en sílabas separadas. Si se acentúa la vocal fuerte (**a, e, o**), no se rompe el diptongo y el sonido de las vocales se pronuncia en una sola sílaba.

➤ vocal débil: te-n**í-a** vi-v**í-a** ➤ vocal fuerte: sa-**lió** c**uá**n-do

1. Identifica las palabras en las que se rompe el sonido del diptongo

a. explosión
b. sabían sa-bí-an
c. días dí-as
d. camión
e. dormían dor-mí-an
f. sonrió

Los **prefijos** son un grupo de letras que se ponen delante de una palabra para formar una nueva. Los prefijos **in-** o **im-** cambian el significado a lo opuesto.

➤ **in**cómodo (que no es cómodo) ➤ **im**probable (que no es probable)

2. Identifica el prefijo de las palabras. Luego escribe su significado. Usa el diccionario.

a. (in)creíble que no se puede creer
b. (im)posible que no es posible, no se puede realizar o lograr
c. (in)activo que no es activo, no tiene acción o movimiento
d. (in)correcto que no es correcto, que está mal hecho

3. Busca la palabra que significa lo mismo en la lectura. El número dice en qué párrafo está la palabra.

a. barras de metal gruesas y fuertes (8) barrotes
b. mucho ruido y falta de orden (15) alboroto
c. tela muy fuerte (18) lona

4. Escoge la palabra que completa la analogía. Usa el diccionario.

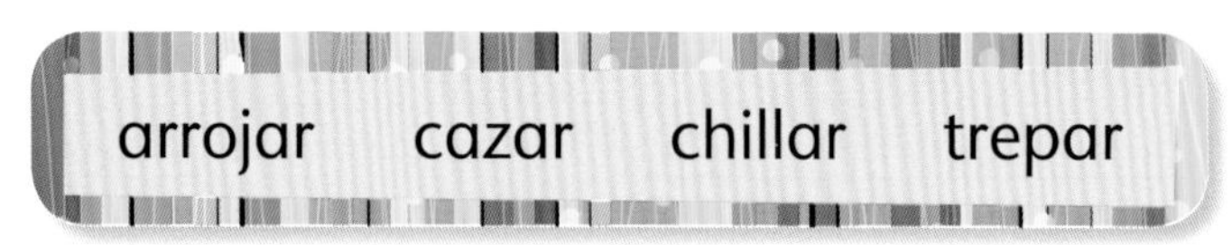

a. andar : caminar :: lanzar : arrojar
b. hablar : conversar :: gritar : chillar
c. caer : levantar :: bajar : trepar
d. soltar : atrapar :: liberar : cazar

Así se escribe

Las **expresiones idiomáticas** son frases que significan algo diferente de lo que dicen.

➤ El niño **metió la pata** cuando no hizo caso.

significado incorrecto: El niño puso la pierna en algún lado al no hacer caso.

significado correcto: El niño se equivocó al no hacer caso.

1. Escoge el significado de la expresión idiomática subrayada.

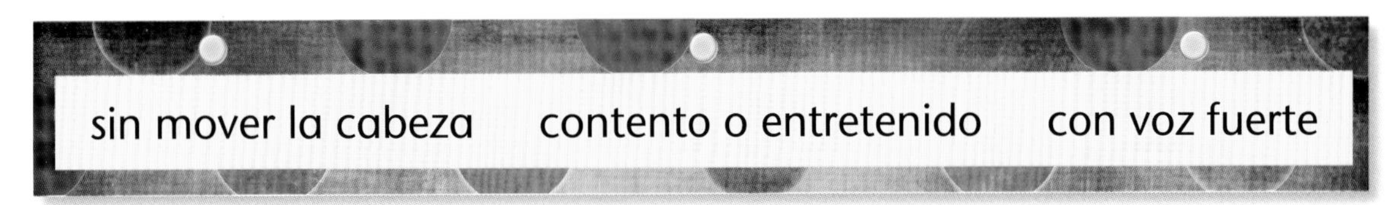

a. —¡Tenemos que escapar! —chilló luego a todo pulmón. con voz fuerte

b. Les tiraba pedazos de banana a los otros y se escondía, muerto de risa. contento o entretenido

c. El hombre avanzó hacia el mono viejo que lo miraba de reojo. sin mover la cabeza

Los **adjetivos demostrativos** indican la distancia entre dos o más personas u objetos.

➤ cerca: **este/esta, estos/estas**

➤ a media distancia: **ese/esa, esos/esas**

➤ lejos: **aquel/aquella, aquellos/aquellas**

2. Escoge el adjetivo demostrativo.

a. Me gusta este mono que está aquí cerca.

b. Yo prefiero aquel mono que está lejos.

c. A mí me gustan tres monos: este mono grande, ese mono pequeño y aquel mono mediano.

A escribir

Discuss with students the advantages and disadvantages of living in a zoo. Then have them write a paragraph on a separate sheet of paper. Remind them to use correct punctuation

- ¿Crees que los monos deben escapar del zoológico para ir a vivir en la selva? ¿Por qué sí o por qué no? Escribe un párrafo. Answers will vary.

Discuss with students archeological discoveries of cities and sites from long time ago that were once thought to be mythical, such as Troy and the Labyrinth of Minos. Then ask the following questions.

Antes de leer

¿Has escuchado historias sobre ciudades perdidas? ¿Cuáles?
Have you heard any stories about lost cities? Which ones?
¿Qué sabes sobre esas ciudades perdidas?
What do you know about those lost cities?
¿Qué sabes sobre la Ciudad de México?
What do you know about Mexico City?

Modelo a escala de Tenochtitlan, Museo Nacional de Antropología, México D.F.

La ciudad debajo de la Ciudad de México

María Á Pérez

Have students read the selection. In order to help with comprehension, you may want to use reading strategies, such as echo reading, retell and summarize, and so on. Point out that the highlighted words are defined in the end glossary. Help students with unfamiliar words and structures, and guide them to decode verbs and verb tenses, as necessary.

1 En la madrugada del 21 de febrero de 1978, un grupo de empleados de la compañía eléctrica trabajaba en unas calles de la zona centro de la Ciudad de México, cuando de repente encontraron una piedra muy grande y dura debajo de la tierra. No pudieron continuar con su trabajo debido al tamaño de la piedra. Llamaron entonces a la oficina de su compañía para comunicar lo que sucedía.

2 La compañía eléctrica se puso en contacto con un grupo de arqueólogos del Instituto Nacional de Antropología e Historia (INAH). Estos arqueólogos examinaron la piedra y determinaron que era un "monolito", es decir un gran bloque de piedra, que representaba a Coyolxauhqui, la diosa azteca de la Luna. Este fue el comienzo del descubrimiento del Templo Mayor azteca. Durante más de 450 años la construcción más impresionante de los aztecas había estado enterrada bajo la capital de México.

Plaza de las Tres Culturas, México D.F.

3 El Templo Mayor se encuentra debajo de la zona centro de la actual Ciudad de México. Este templo era el corazón de la ciudad de Tenochtitlan, la antigua capital del imperio azteca. Y ahora, por el agujero que habían abierto en la calle los trabajadores de la compañía eléctrica, se podía ver parte de esta monumental ciudad.

4 Este descubrimiento fue uno de los más importantes que se hicieron en el siglo veinte en América Latina. El gobierno de México creó el Proyecto Templo Mayor para desenterrar, restaurar y exhibir al público el Templo Mayor de los aztecas. Nombraron al arqueólogo Eduardo Matos Moctezuma para dirigir la excavación.

El arqueólogo Eduardo Matos Moctezuma

5 Eduardo Matos Moctezuma nació en la Ciudad de México, en 1940. Estudió arqueología en la Escuela Nacional de Antropología e Historia, donde obtuvo el título de arqueólogo. Después realizó estudios graduados de antropología en la Universidad Nacional Autónoma de México (UNAM). Cuando se graduó, trabajó como investigador en varias ruinas de las antiguas civilizaciones de México. Por su preparación académica y experiencia fue nombrado coordinador de las excavaciones del Templo Mayor.

6 Además de arqueólogos y antropólogos, se necesitaba la ayuda y conocimientos de muchos otros profesionales. Hacían falta, por ejemplo, historiadores para investigar los orígenes del pueblo azteca y la historia de la construcción de la ciudad de Tenochtitlan. También se necesitaban restauradores para reparar las piezas que se desenterraban, ya que al haber estado tantos siglos enterradas, algunas podían estar dañadas o deterioradas. Hacían falta biólogos y químicos para analizar las piezas, determinar su antigüedad y saber de qué materiales estaban hechas. También hacían falta geólogos para estudiar el terreno y decidir cómo y por dónde era mejor excavar. Y por supuesto, se necesitaban fotógrafos para sacar fotos de todas las piezas que se iban descubriendo. También se les pidió ayuda a otros profesionales como artistas, arquitectos, ingenieros y periodistas.

7 Para realizar las excavaciones en la zona del Templo Mayor, fue necesario derribar trece edificios que habían sido construidos encima del templo. Durante todos estos años de excavación se han encontrado miles de objetos que los antiguos aztecas utilizaban: vasijas de cerámica, figuras de los dioses, máscaras, esculturas, monolitos y más. Las exploraciones continúan hoy en día y se siguen descubriendo objetos y edificaciones de la antigua ciudad azteca de Tenochtitlan.

Figura de Tlaloc, dios del agua

8 Estos descubrimientos y las investigaciones de los historiadores nos permiten entender un poco mejor la historia del pueblo azteca antes de la llegada de los conquistadores españoles. ¿De dónde venían los aztecas? ¿Por qué eligieron este lugar para construir su ciudad y el Templo Mayor?

9 Hace muchos siglos, probablemente alrededor del año 1325, los mexicas —también conocidos como aztecas— llegaron a una isla del lago Texcoco, en el centro de México. En ese lugar fundaron la ciudad de Tenochtitlan, que siglos más tarde se convertiría en la ciudad más grande y poblada del imperio azteca. Pero, ¿por qué eligieron ese lugar?

10 Cuenta la leyenda azteca que una antigua profecía decía que la ciudad debía construirse en el lugar donde vieran un águila, encima de un nopal, comiéndose una serpiente. Según la tradición, los aztecas vieron el águila en la isla del lago Texcoco, y por eso fundaron ahí su ciudad.

Escudo Nacional de México

11 La construcción no fue fácil porque el terreno de la isla era pantanoso. Los aztecas construyeron canales y rellenaron parte del lago. En el centro de la ciudad construyeron los edificios del gobierno, los palacios de los reyes, las canchas de juego y los templos religiosos. También construyeron un zoológico, fuentes, jardines y un mercado enorme donde más de 25,000 personas iban a comprar y vender productos.

12 Cuando llegaron los conquistadores españoles a Tenochtitlan se encontraron con una ciudad de más de 200,000 habitantes distribuidos en unos 70 vecindarios. En el centro de la ciudad estaba el Templo Mayor, la construcción más grande. Este templo era, en realidad, una pirámide enorme con dos templos en la parte más alta.

13 Tenochtitlan maravilló a los españoles, ya que no habían visto nunca una ciudad tan grande y tan organizada como esa. Sin embargo, atacaron la ciudad y después de varias luchas muy fuertes, los aztecas perdieron. Los conquistadores españoles decidieron destruir el templo y los edificios aztecas. Luego, construyeron sus edificios encima de la capital azteca, y es así como la actual Ciudad de México se encuentra encima de la antigua Tenochtitlan. Por esta razón, el Templo Mayor azteca estuvo oculto durante siglos hasta esa madrugada de febrero de 1978, cuando fue redescubierto.

"Mercado en Tenochtitlan", fresco, Palacio Nacional, México D.F.

Comprendo lo que leí

Discuss the selection with students. Then have them complete the activities on a separate sheet of paper.

1. ¿Quiénes construyeron el Templo Mayor?
   - (a.) los aztecas
   - b. los españoles
   - c. los arqueólogos

2. ¿Quién es Eduardo Matos Moctezuma?
   - a. Es el electricista que encontró la primera piedra del templo.
   - (b.) Es el arqueólogo que dirigió las excavaciones del templo.
   - c. Es el líder azteca que construyó el templo.

3. ¿Quiénes estudiaron los orígenes del pueblo azteca y Tenochtitlan?
   - (a.) los historiadores
   - b. los ingenieros
   - c. los geólogos

4. ¿Cuántos habitantes tenía Tenochtitlan cuando llegaron los españoles?
   - a. 1,325 habitantes
   - b. 25,000 habitantes
   - (c.) 200,000 habitantes

5. ¿Dónde construyeron los españoles la Ciudad de México?
   - a. lejos de Tenochtitlan
   - b. cerca de Tenochtitlan
   - (c.) encima de Tenochtitlan

6. ¿Por qué era importante excavar y restaurar el Templo Mayor? Critical Thinking

   Answers will vary.
   Possible answers: Porque fue la construcción más importante de los aztecas y contiene miles de objetos. Todo lo que se ha encontrado en el Templo Mayor nos permite entender mejor la historia del pueblo azteca.

Así se dice

For both pages, discuss the concepts in the boxes and be sure students understand the examples. Then have them complete the activities on a separate sheet of paper. Assist students as necessary. For **Así se dice**, have students read aloud the sounds as they complete the activities.

En español hay muchas palabras que se forman con **raíces**, **prefijos** o **sufijos** del antiguo idioma **griego**.

➤ **antropo**- = hombre **geo**- = tierra **bio**- = vida **arqueo-** = antiguo

➤ **-logía** = ciencia **-logo** = experto

1. Copia y completa la tabla. Sigue el modelo de la primera línea. Usa el diccionario.

Palabra	Raíces y sufijos	Traducción del griego	Definición de la palabra
antropólogo	antropó + logo	hombre + experto	experto en cosas del hombre (ser humano)
arqueólogo	arqueó + logo	antiguo + experto	experto en cosas antiguas
biología	bio + logía	vida + ciencia	ciencia de la vida
geología	geo + logía	tierra + ciencia	ciencia de la tierra

2. Busca la palabra que significa lo mismo en la lectura. El número dice en qué párrafo está la palabra.
   a. hacer que algo vuelva a estar como antes (4) restaurar
   b. hacer un gran agujero en un terreno (6) excavar
   c. momento del día en que sale el sol (13) madrugada

3. Escribe una oración con las palabras de la actividad anterior.
   Answers will vary.

4. Escoge la palabra que completa la analogía. Usa el diccionario.

   a. flor : orquídea :: cactus : nopal
   b. arena : playa :: lodo : pantano
   c. historia : cuento :: predicción : profecía

Así se escribe

Recuerda que las **palabras agudas** llevan acento gráfico, o tilde, si terminan con las letras **n**, **s** o con una **vocal**. Las **palabras llanas** (o graves) llevan acento gráfico sólo cuando terminan en una **consonante**, que no sea **n** o **s**. Todas las **palabras esdrújulas** llevan un acento gráfico.

1. Escribe el acento en el lugar apropiado.

   a. electrica eléctrica
   b. profecia profecía
   c. ceramica cerámica
   d. construccion construcción
   e. compañia compañía
   f. arqueologo arqueólogo

Los **sustantivos colectivos** son nombres en singular que hablan de un conjunto de personas, objetos o animales. Para que haya **concordancia**, los artículos, verbos y adjetivos que acompañan a los sustantivos colectivos también deben estar en singular.

➤ equipo (grupo de jugadores) ➤ El equipo rojo ganó el juego.

2. Identifica los sustantivos colectivos y corrige los errores de concordancia.

   a. El (público) querían ver el Templo Mayor. El público quería ver el Templo Mayor.
   b. El (pueblo) azteca construyeron el templo. El pueblo azteca construyó el templo.
   c. Un (grupo) grandes participaron en la excavación. Un grupo grande participó en la excavación.

La **terminación de los verbos** indica el tiempo de los mismos. **Pasado** es el tiempo antes del momento en que se habla. **Presente** es el momento en que se habla. **Futuro** es el tiempo después del momento en que se habla.

➤ Pasado: Yo **pinté** ➤ Presente: Yo **pinto** ➤ Futuro: Yo **pintaré**

3. Completa las oraciones con la forma correcta del verbo entre paréntesis.

   a. Hace años, Eduardo Matos (*obtener*) el título de arqueólogo. obtuvo
   b. En el siglo XIV, los aztecas (*construir*) una cuidad. construyeron
   c. El mes que viene, las personas (*poder*) ir a visitar el templo. podrán
   d. En el futuro, los científicos (*hacer*) más investigaciones. harán

A escribir

Discuss with students the different professionals who worked on the excavation of the temple and the work that each one did. Have students think of what kind of work they would have liked to do there. Then have them write a paragraph about that work on a separate sheet of paper. Remind them to use correct punctuation.

- Imagina que trabajaste en las excavaciones del Templo Mayor. ¿Qué profesional eras? ¿Qué hacías? ¿Qué descubriste? ¿Qué aprendiste sobre los aztecas? Escribe un párrafo.

Answers will vary.

Discuss with students the musical instruments they play and/or know, and the different sounds these instruments make. Then ask the following questions.

Antes de leer

¿Cuál es tu instrumento musical favorito? ¿Por qué?
What is your favorite musical instrument? Why?

¿Conoces el origen o la historia de algún instrumento musical?
Do you know the origin or the history of any musical instrument?

¿Qué música te gusta? ¿Qué instrumentos musicales se usan para tocar esa música? What music do you like? What musical instruments are used to play it?

Músico andino tocando la quena

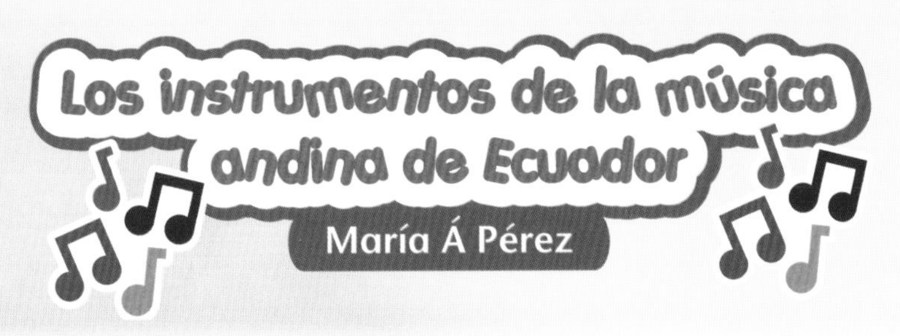

Have students read the selection. In order to help with comprehension, you may want to use reading strategies, such as echo reading, retell and summarize, and so on. Point out that the highlighted words are defined in the end glossary. Help students with unfamiliar words and structures, and guide them to decode verbs and verb tenses, as necessary.

1 La música es una parte muy importante de las celebraciones en todas partes del mundo. En las numerosas fiestas que hay en Ecuador a lo largo del año, la música tiene un papel muy especial. Los desfiles, bailes y festividades se acompañan con la música que interpretan las distintas bandas, grupos y orquestas que hay en el país.

2 La música de los pueblos de los Andes de Ecuador tiene elementos en común con la música del resto de las regiones andinas de Perú, Bolivia, Chile y Argentina. Los instrumentos musicales que se usan para interpretar esta música son también muy parecidos en esos países.

3 Muchos de los instrumentos de la música andina se originaron en el continente americano antes de la llegada de los europeos. De hecho, algunos instrumentos tienen miles de años de historia, pues fueron creados por los primeros habitantes de la región.

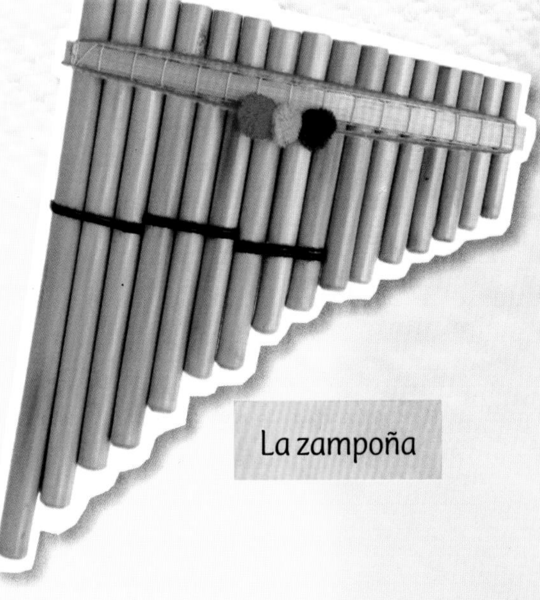

La zampoña

Quenas

La quena

4 La "quena" es un instrumento de viento, una especie de flauta. Se fabrica con caña de bambú que se corta y pule. Luego se le hacen siete agujeros. El músico sopla por un extremo de la caña y con sus dedos tapa y destapa los siete agujeros para producir la música.

5 Este instrumento es muy antiguo, ya que lo tocaban los distintos pueblos indígenas que habitaban en la cordillera de los Andes hace cientos de años. El sonido de la quena es muy dulce y es, quizás, el sonido más reconocible de la música andina.

La zampoña

6 La "zampoña" es otro instrumento de viento típico de la música de la región de los Andes. Está hecha con varios tubos de bambú unidos entre sí. En el pasado, estos tubos se hacían también de hueso y se adornaban con plumas de cóndor, un ave típica de los Andes. Sin embargo, hoy en día, casi todas las zampoñas son de bambú.

Grupo de músicos tocando la zampoña

7 El largo de los tubos de la zampoña varía, pues el sonido que produce cada tubo depende de su largo y del material con el que está hecho. Por lo general, la zampoña tiene 13 tubos y el músico sopla por un extremo de los tubos para producir el sonido.

Niña tocando el rondador

8 El instrumento nacional de Ecuador es un tipo de zampoña llamada "rondador". Para fabricar el rondador se usan cañas muy delgadas de bambú. Al ser tan delgadas, el sonido será muy suave y melódico. Las cañas se ordenan en una sola fila y se juntan. El músico sopla a la vez por dos tubos seguidos para producir el sonido musical. El rondador es uno de los instrumentos musicales principales de la música "sanjuanito", que es típica de Ecuador.

El bombo

9 El "bombo" es un instrumento de percusión parecido al tambor. Forma también parte de los instrumentos típicos de la música andina. Hay varios tipos de bombo, pero uno de los más comunes se hace ahuecando el tronco de un árbol. Luego se cubre el fondo y la parte de arriba con piel de oveja, llama, cabra o vaca. Este tambor se toca con un mazo y un palillo. El bombo es muy importante en la música andina porque es el instrumento que marca el ritmo.

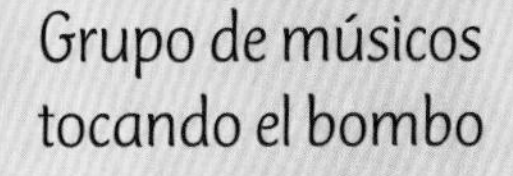

Grupo de músicos tocando el bombo

El charango

10 Otro instrumento común de la música andina es el "charango", un instrumento de cuerdas. Esta guitarrilla se hacía antiguamente con el caparazón seco del armadillo. Hoy en día se hace de madera, como las guitarras.

11 Hay distintos tipos de charango, pero el más común tiene cinco pares de cuerdas, o diez cuerdas.

12 El charango es un instrumento "mestizo", es decir, es el resultado de la mezcla de la cultura española y la cultura indígena de los Andes. Los españoles trajeron sus instrumentos musicales a América del Sur y los indígenas adaptaron algunos de esos instrumentos para tocar su música.

Músico andino tocando el charango

13 Estos instrumentos son la base de la música que asociamos con la región de los Andes de América del Sur. En algunos casos varían un poco según la zona o el país, pero tienen un origen en común. En su mayoría son instrumentos que ya existían antes de la llegada de los europeos. Otros, como el charango, fueron una mezcla de los instrumentos musicales de los indígenas y de los europeos.

14 Hoy en día, al igual que lo hacían antiguamente, estos instrumentos alegran las fiestas de toda la región.

Comprendo lo que leí

Discuss the selection with students. Then have them complete the activities on a separate sheet of paper.

1. ¿En qué países se origina la música andina?
   - (a.) en la Argentina, Bolivia, Chile, Ecuador y Perú
   - b. en Bolivia, Chile, Ecuador, México y Perú
   - c. en la Argentina, Ecuador, El Salvador y Uruguay

2. ¿Cuál es el instrumento nacional de Ecuador?
   - a. la quena
   - (b.) el rondador
   - c. el bombo

3. ¿Qué instrumento tiene diez cuerdas divididas en cinco pares?
   - a. la quena
   - b. la zampoña
   - (c.) el charango

4. ¿Por qué es importante el bombo?
   - a. Porque está hecho de madera.
   - b. Porque se toca con un mazo y un palillo.
   - (c.) Porque marca el ritmo de la música.

5. ¿Qué instrumento es el resultado de la mezcla de la cultura española y la cultura indígena de los Andes?
   - a. el bombo
   - (b.) el charango
   - c. la zampoña

6. ¿Por qué crees que la música es importante en las celebraciones de Ecuador? Critical Thinking

   Answers will vary.

Así se dice

For both pages, discuss the concepts in the boxes and be sure students understand the examples. Then have them complete the activities on a separate sheet of paper. Assist students as necessary. For **Así se dice**, have students read aloud the sounds as they complete the activities.

1. Escoge el sinónimo de las palabras subrayadas. Usa el diccionario.

extensión	típico	consiste	unión
toca	identificable	lima	importante

   a. La música es un elemento destacado de las celebraciones. importante
   b. La orquesta interpreta varias piezas musicales. toca
   c. La caña de bambú se corta y se pule para hacer la quena. lima
   d. La quena era ya conocida antes de la expansión del imperio inca. extensión
   e. El sonido de la quena es muy reconocible. identificable
   f. La zampoña consta de varios tubos de bambú. consiste
   g. El charango es un instrumento característico de la música andina. típico
   h. El charango es el resultado de una fusión de culturas. unión

2. Busca la palabra que significa lo mismo en la lectura. El número dice en qué párrafo está la palabra.

   a. tallo de una planta que se usa para hacer objetos (4) caña
   b. instrumento parecido al tambor (9) bombo
   c. acción de sacar lo que hay dentro de algo (9) ahuecando
   d. concha dura que protege a un animal (10) caparazón

3. Escribe una oración con las palabras de la actividad anterior.
   Answers will vary.

4. Escoge la palabra que completa la analogía. Usa el diccionario.

andina	melódica	percusión	reconocible

   a. veloz : rápido :: armoniosa : melódica
   b. flauta : viento :: tambor : percusión
   c. continente : americano :: región : andina
   d. inesperado : planificado :: inidentificable : reconocible

Así se escribe

Los **homófonos** son palabras que se pronuncian igual pero se escriben de forma diferente.

- La **casa** de Carlos es grande. (casa: una vivienda)
- Él **caza** animales salvajes. (caza: capturar animales)

1. Escoge la palabra que completa la oración. Usa el diccionario.
   a. Ayer el músico (tubo / tuvo) un concierto.
   b. Cada (ves / vez) que el músico sopla, suena la flauta.
   c. ¿De qué material está (hecha / echa) esa flauta?

Los **pronombres indefinidos** son palabras que dan información sobre la cantidad de algo, pero no dicen con exactitud cuánto hay. Algunos son:

- **mucho**, **poco**, **bastante**, **varios**, **alguno**

2. Identifica el pronombre indefinido en la segunda oración.
   a. Hay instrumentos con tubos. La zampoña tiene varios.
   b. Unos instrumentos son antiguos. Algunos tienen miles de años.
   c. Los instrumentos varían según el país. Muchos son de viento.

3. Completa el párrafo con la forma correcta de los verbos entre paréntesis.

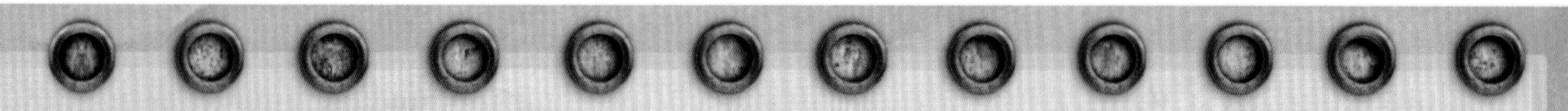

Hace siglos, los españoles (*traer*) instrumentos musicales de Europa. Los indígenas (*hacer*) una mezcla de los instrumentos andinos y los españoles. Muchos de los instrumentos que nosotros (*tener*) hoy en día (*ser*) el resultado de esa mezcla. En el futuro (*tener*) nuevos instrumentos.

trajeron, hicieron, tenemos, son, tendremos

A escribir

Discuss with students musical instruments. Have them describe what their favorite instrument looks and sounds like, and how it is similar or different from other instruments. Then have students write a paragraph on a separate sheet of paper. Remind them to use correct punctuation.

- ¿Cuál es tu instrumento musical favorito? ¿Cómo es? ¿Cómo suena? ¿En qué se parece y en qué se diferencia de otros instrumentos musicales? Escribe un párrafo.

Answers will vary.

Leyenda

v. = verbo; *s.* = sustantivo; *adj.* = adjetivo; *adv.* = adverbio

a flote (de **flotar**) flotando sobre el agua **p. 95**

a su vez *at the same time* **p. 43**

las **aberturas** (de **abertura**) (*s.*) bocas o agujeros **p. 135**

absurdas (de **absurda**) (*adj.*) sin sentido **p. 128**

la **abundancia** (*s.*) gran cantidad de algo **pp. 113, 135**

acordado (de **acordar**) (*v.*) decidido, establecido **p. 65**

adentro (*adv.*) *inside* **p. 31**

afecta (de **afectar**) (*v.*) *affects* **p. 49**

los **agricultores** (de **agricultor**) (*s.*) personas que cultivan la tierra **p. 112**

la **agronomía** (*s.*) carrera relacionada con el cultivo de la tierra **p. 105**

aguantando (de **aguantar**) (*v.*) resistiendo el deseo de hacer algo **p. 80**

el/los **agujero(s)** (*s.*) hoyo o abertura **pp. 63, 167, 176**

ahuecando (de **ahuecar**) (*v.*) dejar vacío algo **p. 177**

al vapor *steamed* **p. 31**

el **alboroto** (*s.*) ruido de voces y gritos **p. 159**

el **alemán** (*s.*) *German* **p. 19**

las **alfombras** (de **alfombra**) (*s.*) *carpets* p. 14

la **alianza** (*s.*) unión p. 64

las **alpacas** (de **alpaca**) (*s.*) animales de pelo largo y fino parecidos a la llama p. 111

amarga (*adj.*) de sabor agrio o ácido p. 152

las **amenazas** (de **amenaza**) (*s.*) palabras para asustar a alguien y obligarlo a hacer algo que no quiere p. 63

andinas (de **andina**) (*adj.*) de los Andes, en América del Sur p. 175

la **antigüedad** (*s.*) tiempo antiguo, lejano p. 90

los **antropólogos** (de **antropólogo**) (*s.*) personas que estudian al hombre y su comportamiento en la sociedad p. 168

aplastaban (de **aplastar**) (*v.*) las apretaban poniéndoles un peso grande encima p. 154

arde (de **arder**) (*v.*) *burns* p. 38

la **arena** (*s.*) *sand* p. 25

los **aros** (*s.*) piezas en forma de círculo p. 88

los **arqueólogos** (de **arqueólogo**) (*s.*) personas que estudian los restos de pueblos y civilizaciones antiguas pp. 89, 167

el **arquero** (*s.*) portero de fútbol p. 120

arrojaban (de **arrojar**) (*v.*) lanzaban, tiraban p. 159

las **artesanías** (de **artesanía**) (*s.*) objetos o cosas hechas a mano o con instrumentos muy sencillos p. 73

asistimos (de **asistir**) (*v.*) vamos, acudimos p. 79

asombroso (de **asombro**) (*adj.*) que causa admiración o sorpresa **p. 129**

astuto (*adj.*) hábil para engañar y lograr lo que quiere **p. 64**

atreví (de **atrever**) (*v.*) tuve el valor suficiente, me arriesgué **p. 81**

audaz (*adj.*) arriesgada **p. 65**

la **avidez** (*s.*) ansia, deseo **p. 146**

B

los **barrotes** (de **barrote**) (*s.*) barras de hierro que se colocan en las jaulas **p. 159**

bilingües (de **bilingüe**) (*adj.*) *bilingual* **p. 19**

bosteza (de **bostezar**) (*v.*) abre mucho la boca en señal de sueño o aburrimiento **p. 120**

la **broma** (*s.*) *joke* **p. 8**

C

las **caderas** (*s.*) partes del cuerpo que sobresalen por debajo de la cintura **p. 88**

el **calzado** (*s.*) todo tipo de zapato **p. 112**

los **calzoncillos** (de **calzoncillo**) (*s.*) ropa interior que usan los hombres debajo de los pantalones **p. 95**

el **camión** (*s.*) vehículo grande que se usa para transportar cargas pesadas **p. 160**

la **canela** (*s.*) *cinnamon* **p. 32**

la **caña** (*s.*) tallo hueco y con nudos, como el bambú **p. 176**

capaces (*v.*) no se atreverían, no podrían **p. 56**

el **caparazón** (*s.*) capa dura que cubre y protege el cuerpo de algunos animales **p. 178**

las **carcajadas** (de **carcajada**) (*s.*) risas muy ruidosas **p. 79**

las **caricaturas** (de **caricatura**) (*s.*) dibujos que exageran las características de alguien **p. 105**

las **carrozas** (de **carroza**) (*s.*) carros con adornos en un desfile **p. 72**

la **casa** (*s.*) *house* **p. 7**

castigado (de **castigar**) (*v.*) puesto una pena a alguien porque no ha actuado bien **p. 122**

el **caucho** (*s.*) material resistente que se extrae de algunas plantas **p. 87**

cazarlos (de **cazar**) (*v.*) perseguirlos para atraparlos o matarlos **p. 159**

el **césped** (*s.*) hierba corta y muy junta que cubre el suelo **p. 127**

la **charca** (*s.*) charco grande de agua **p. 95**

chillaron (*v.*) hicieron sonidos fuertes y desagradables con la voz **p. 162**

las/los **chinches** (de **chinche**) (*s.*) insectos que chupan la sangre de las personas **p. 64**

el **ciclismo** (*s.*) deporte de carreras en bicicleta **p. 73**

la **comarca** (*s.*) territorio en el que hay varias poblaciones **p. 79**

congelaran (de **congelar**) (*v.*) enfriaran a bajas temperaturas **p. 154**

la **cosecha** (*s.*) frutos que se recogen de la tierra **p. 113** el **cráter** (*s.*) agujero en la parte más alta de un volcán, por donde sale la lava p. 135

las **cuerdas** (*s.*) hilos fuertes y tirantes que tienen algunos instrumentos musicales, como la guitarra p. 178

cultivaban (de **cultivar**) (*v.*) *cultivated, grew* pp. 32, 151

los **cultivos** (de **cultivo**) (*s.*) plantas como cereales, verduras y frutas p. 137

cuyas (de **cuya**) de las cuales p. 128

debajo (*adv.*) *under* p. 25

decidida (de **decidir**) (*adj.*) segura de lo que va o no va a hacer p. 81

la **décima** (*s.*) estrofa de diez versos con una rima especial p. 143

declaró (*v.*) proclamó, anunció p. 64

desanimó (de **desanimar**) (*v.*) perdió el entusiasmo p. 112

desastroso (*adj.*) mal organizado p. 128

descubrieron (de **descubrir**) (*v.*) *they discovered* p. 43

desenterrar (*v.*) sacar lo que está enterrado bajo tierra p. 168

desesperado (de **desesperar**) (*adj.*) nervioso, sin esperanza p. 66

desparramó (de **desparramar**) (*v.*) lanzó por muchos sitios p. 129

destruir (*v.*) *to destroy* **p. 26**

detente (de **detener**) (*v.*) párate, no sigas **p. 98**

devora (de **devorar**) (*v.*) *devours, eats up* **p. 26**

el **dinero** (*s.*) *money* **p. 37**

dirigimos (de **dirigir**) (*v.*) fuimos hacia un lugar **p. 81**

las **disculpas** (de **disculpa**) (*s.*) explicaciones que se dan para pedir perdón por algo **p. 121**

diversiones (*adj.*) *amusements* **p. 13**

domesticar (*v.*) aclimatar; hacer que una planta se adapte a un ambiente diferente **p. 151**

dominarlo (de **dominar**) (*v.*) controlarlo, domarlo **p. 73**

elegir (*v.*) escoger o seleccionar a una persona entre otras **p. 72**

enfrascado (de **enfrascarse**) (*v.*) concentrado en algo **p. 145**

enrolla (de **enrollar**) (*v*) *rolls* **p. 25**

enseguida (o en seguida) (*adv.*) inmediatamente, después **p. 162**

entra (de **entrar**) (*v.*) *enters* **p. 7**

entre sí unos a otros **p. 176**

entrenando (de **entrenar**) (*v.*) practicando o preparándose para un juego o competencia **p. 79**

entusiasmada (de **entusiasmo**) (*adj.*) con mucho interés, con mucho gusto **p. 58**

enviaron (de **enviar**) (*v.*) *sent* p. 37

eran (de **ser**) (*v.*) *were* p. 49

la **erupción** (*s.*) salida de sólidos, líquidos o gases del interior de la Tierra p. 136

la **escritura** (*s.*) *writing* p. 43

esforzándose (de **esforzar**) (*v.*) haciendo esfuerzos con algún fin p. 98

el **esfuerzo** (*s.*) uso intenso de la fuerza o inteligencia para conseguir algo p. 161

la **especie** (*s.*) clase p. 176

los **espectadores** (*s.*) personas que asisten a un acto público p. 88

la **espina** (*s.*) púa o punta dura de algunas plantas p. 80

las **estanterías** (de **estantería**) (*s.*) muebles con tablas horizontales que sirven para poner cosas encima p. 129

los **eventos** (de **evento**) (*s.*) acontecimientos sociales, artísticos o de otro tipo p. 71

exaltar (*v.*) alabar p. 145

la **excavación** (*s.*) proceso para sacar cosas de debajo de la tierra p. 168

expulsada (de **expulsar**) (*v.*) lanzada p. 136

los **extraterrestres** (de **extraterrestre**) (*s.*) seres de otro planeta diferente a la Tierra p. 128

F

fanáticos (de **fanático**) (*adj.*) seguidores de algo o alguien p. 87

el **fierro** (*s.*) hierro p. 160

las **flores** (de **flor**) (*s.*) *flowers* p. 13

el **francés** (*s.*) *French* p. 19

frondosos (de **frondoso**) (*adj.*) con muchas hojas y ramas p. 128

las **fuentes** (de **fuente**) (*s.*) *fountains* p. 13

la **función** (*s.*) representación de una obra de teatro p. 58

las **garrapatas** (de **garrapata**) (*s.*) insectos que viven en la piel o pelo de algunos animales y chupan su sangre p. 64

las **golosinas** (de **golosina**) (*s.*) dulces, como caramelos, pasteles y bombones p. 74

el **gorro** (*s.*) *cap*, *hat* p. 13

grosero (*adj.*) maleducado p. 121

la **hierba silvestre** (*s.*) hierba que nace de forma natural sin que se plante o cultive p. 151

las **historietas** (de **historieta**) (*s.*) cómics; relatos con dibujos p. 120

la **hoja** (*s.*) *leaf* p. 25

hoy día *nowadays* p. 50

hubiesen (de **haber**) (*v.*) tiempo condicional del verbo haber; verbo auxiliar p. 79

I

el **idioma** (*s.*) *language* p. 19

impecable (*adj.*) perfecta p. 130

impedir (*v.*) evitar, detener p. 95

los **indígenas** (de **indígena**) (*s.*) personas nativas de un lugar; (*adj.*) de la cultura nativa pp. 87, 111

influenció (de **influenciar**) (*v.*) influyó; tuvo un efecto sobre algo o alguien p. 106

la **ingeniería** (*s.*) ciencia que se usa para inventar y construir cosas útiles para las personas p. 103

inmutable (*adj.*) sereno, sin cambiar de actitud p. 63

la **innovación** (*s.*) cambio que se hace en algo p. 103

los **intercambios** (de **intercambio**) (*s.*) acciones en las que se da una cosa para recibir otra p. 151

el **interior** (*s.*) la parte de dentro de algo p. 153

invadir (*v.*) *to invade* p. 26

J

los **jardines** (de **jardín**) (*s.*) *gardens* p. 13

el **jinete** (*s.*) persona que monta o se sube a un caballo p. 73

los **juegos mecánicos** (*s.*) aparatos que se instalan en las ferias como diversión p. 73

L

largo (*adj.*) *long* p. 13

laterales (de **lateral**) (*adj.*) que están a los lados p. 88

la **leña** (*s.*) *firewood* p. 38

la **lona** (*s.*) tela gruesa que se usa para cubrir cosas p. 160

luminosas (de **luminosa**) (*adj.*) que dan luz p. 63

la/las **madrugada(s)** (*s.*) amanecer; momento en que comienza a salir la luz del día pp. 145, 167, 170

mal humor (*s.*) *bad temper* p.25

las **malas hierbas** (*s.*) plantas dañinas que crecen en los sembrados p. 127

malcriado (*adj.*) consentido; persona a la que se le permite todo p. 119

la **maleza** (s.) malas hierbas p. 130

malvado (*adj.*) persona mala p. 98

las **máquinas** (*s.*) *equipment*, *machines* p. 26

la **masa** (*s.*) *dough* p. 31

el **mazo** (*s.*) pelota gruesa de cuero con mango de madera que se usa para tocar el bombo p. 177

la **mazorca** (de **maíz**) (*s.*) *corncob* p. 31

melódico (*adj.*) armonioso, agradable p. 177

los **mimos** (de **mimo**) (*s.*) actores que usan solo gestos y movimientos para expresarse p. 74

miserable (*adj.*) despreciable p. 97

molido (de **moler**) (*adj.*) *ground* p. 32

la **montaña rusa** (*s.*) estructura con carritos que suben, bajan, dan vueltas y se deslizan rápido p. 74

N

la **natación** (*s.*) deporte que se practica nadando p. 114

ni siquiera *not even* p. 13

el **nivel** (*s.*) *level* p. 20

no sé *I do not know* p. 37

el **nopal** (*s.*) árbol de hojas con espinas, tallos aplastados y flores grandes p. 169

O

obsesionada (de **obsesión**) (*adj.*) con una idea fija en la mente p. 82

olvidaron (de **olvidar**) (*v.*) *they forgot* p. 43

P

el **palillo** (*s.*) varita redonda que se usa para tocar el tambor o bombo p. 177

las **palmeras** (de **palmera**) (*s.*) *palm trees* p. 26

pantanoso (*adj.*) terreno donde hay charcos de barro o lodo p. 170

los **paños** (de **paño**) (*s.*) trozos de tela p. 66

los **parientes** (de **pariente**) (*s.*) personas de la misma familia p. 71

el **pasillo** (*s.*) espacio largo de una casa que sirve para ir de un cuarto a otro p. 128

el **patio** (*s.*) *backyard, courtyard* p. 7

los **pedazos** (de **pedazo**) (*s.*) trozos o partes de algo p. 95

pegó un salto saltó, brincó p. 161

percusión (*adj.*) que suena golpeándolo con las manos, palos, varillas y otras cosas **p. 177**

permitir (*v.*) *to allow* **p. 25**

pertenecemos (de **pertenecer**) (*v.*) somos parte, formamos parte de **p. 79**

perturbó (de **perturbar**) (*v.*) me dejó intranquilo, inquieto **p. 81**

los **piojos** (de **piojo**) (*s.*) insectos muy pequeños que viven en el pelo de personas y animales **p. 64**

las **placas** (*s.*) grandes trozos de roca en los que se divide la superficie de la Tierra **p. 136**

plena (*adj.*) en el momento en el que está ocurriendo la acción **p. 98**

poblado (*adj.*) que tiene muchos habitantes **p. 135**

los **pobladores** (*s.*) personas que viven en un lugar **p. 90**

(no) **podían plantar** (*v.*) *could not plant, could not sow* **p. 49**

el **prado** (*s.*) lugar con hierba donde pastan o se alimentan los animales **p. 65**

el **pregón** (*s.*) hecho de comunicar a la gente en voz alta una cosa para que se entere **p. 113**

privadas (de **privada**) (*adj.*) *private* **p. 19**

la **profecía** (*s.*) predicción de lo que pasará en el futuro **p. 169**

propagarse (de **propagar**) (*v.*) extenderse **p. 104**

propagó (de **propagar**) (*v.*) extendió **p. 151**

proviene (de **provenir**) (*v.*) procede, viene de **p. 87**

los **puestos** (de **puesto**) (*s.*) casetas que se ponen en las calles, ferias o parques para vender algo p. 73

pule (de **pulir**) (*v.*) dejarse lisa y suave una superficie p. 176

la **pulpa** (*s.*) carne blanda y comestible de las frutas p. 152

pusieron la mesa *they set the table* p. 38

Q

el **quinto grado** (*s.*) *fifth grade* p. 20

R

los **rascacielos** (*s.*) edificios muy altos p. 103

recapacitado (de **recapacitar**) (*v.*) reconsiderado; pensado bien acerca de algo p. 121

(se) **recolecta** (de **recolectar**) (*v.*) se recoge la cosecha p. 113

reconocible (de **reconocer**) (*adj.*) que se sabe qué es p. 176

reconozco (de **reconocer**) (*v.*) admito, acepto p. 120

recuerda (de **recordar**) (*v.*) *remembers* p. 8

reflexionar (*v.*) pensar despacio acerca de algo p. 122

regresara (de **regresar**) (*v.*) *return, come back* p. 50

remendada (de **remendar**) (*adj.*) arreglada o cosida para cubrir partes viejas p. 127

reñido (de **reñir**) (*v.*) regañado por algo que ha hecho o dicho p. 119

reojo (*adv.*) mirar con disimulo, sin volver la cabeza p. 161

representaban (de **representar**) (*v.*) *they represented* p. 44

restaurar (*v.*) hacer que algo vuelva a estar como antes **p. 168**

(se) **reunían** (de **reunir**) (*v.*) *they gathered* **p. 50**

el **rey** (*s.*) *king* **p. 14**

rondar (*v.*) dar vueltas alrededor de algo **p. 64**

la **rueda** (*s.*) estructura con carritos en círculo, que da vueltas y se detiene **p. 74**

S

el **sabor** (*s.*) *flavor* **p. 38**

sagrado (*adj.*) *sacred, holy* **p. 31**

sale (de **salir**) (*v.*) *comes out* **p. 7**

salen (de **salir**) (*v.*) *leave* **p. 13**

se quita (de **quitar**) (*v.*) *takes off* **p. 14**

los **senderos** (de **sendero**) (*s.*) caminos **p. 138**

los **siglos** (de **siglo**) (*s.*) periodos de cien años **p. 168**

sinvergüenza (*adj.*) que actúa de forma indecente **p. 96**

sísmica (*adj.*) de terremoto o temblor de tierra **p. 136**

sorpresivamente (de **sorpresa**) (*adj.*) de forma inesperada **p. 58**

los **sótanos** (de **sótano**) (*s.*) plantas bajas de los edificios **p. 129**

T

los **tapices** (de **tapiz**) (*s.*) tejidos que se usan para adornar las paredes **p. 112**

tapizar (*v.*) cubrir una superficie con algo p. 130

tardías (de **tardía**) (*adj.*) que maduran o florecen más tarde de lo normal p. 63

los **tejados** (de **tejado**) (*s.*) partes de arriba de una casa o edificio p. 127

las **tejas** (*s.*) piezas de barro o de otro material que cubren los tejados p. 130

temido (de **temer**) (*adj.*) que da temor o miedo p. 81

tenía (de **tener**) (*v.*) *he was* (*years old*) p. 44

el **terreno** (*s.*) espacio de tierra p. 170

los **textiles** (de **textil**) (*s.*) tejidos hechos de hilo, fibras de plantas o pelo de animal p. 111

topamos (de **topar**) (*v.*) encontramos de casualidad p. 80

torció (de **torcer**) (*v.*) hizo un gesto de enfado o enojo p. 97

la **tranca** (*s.*) palo grueso con el que se aseguran puertas o ventanas p. 161

las **travesuras** (de **travesura**) (*s.*) acciones para divertirse, que no causan daño p. 74

trepó (de **trepar**) (*v.*) se subió a lo alto de algo p. 161

los **troncos** (de **tronco**) (*s.*) *logs* p. 38

los **trovadores** (de **trovador**) (*s.*) personas que componen y cantan versos p. 143

los **turnos** (de **turno**) (*s.*) *sessions* p. 19

U

ubicado (de **ubicar**) (*v.*) localizado, situado p. 136

vacilaron (de **vacilar**) (*v.*) dudaron **p. 65**

las **vasijas** (de **vasija**) (*s.*) recipientes de adorno o para guardar líquidos y alimentos **p. 169**

vayan (de **ir**) (*v.*) *they will go* **p. 38**

la **vecina** (*s.*) *neighbor* **p. 7**

el **vendaval** (*s.*) viento fuerte **p. 129**

el **vergel** (*s.*) huerto con muchas flores y árboles de frutas **p. 145**

vigilan (de **vigilar**) (*v.*) observan, miran con detenimiento **p. 138**

villano (*adj.*) que realiza acciones muy malas **p. 98**

la **zorra** (*s.*) plataforma de un camión **p. 160**